池上彰の世界の見方

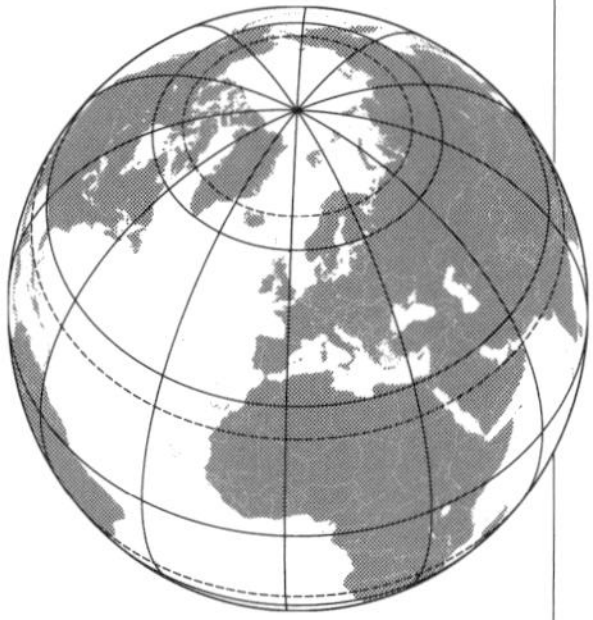

Akira Ikegami,
How To See the World

フランス

うるわしの国の栄光と苦悩

小学館

フランス共和国
French Republic

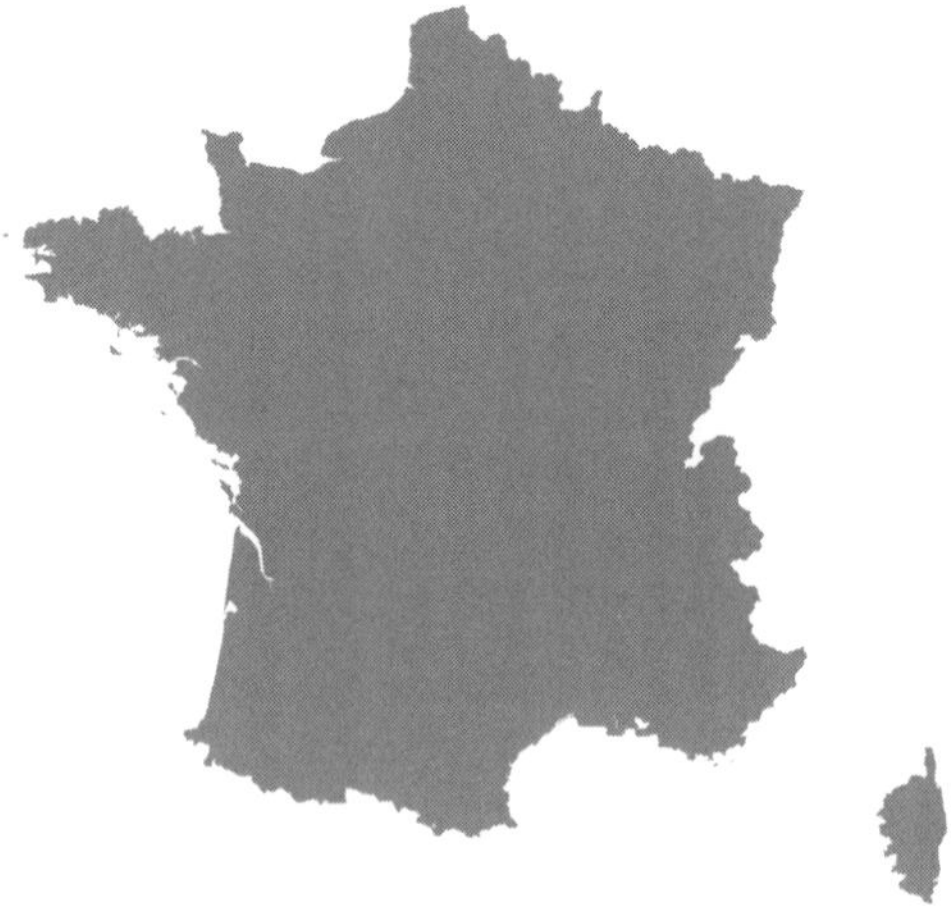

基礎データ

面積	54万9134平方キロメートル
人口	約6804万人（2023年1月1日）
首都	パリ
言語	フランス語
宗教	キリスト教（カトリック、プロテスタント）、ユダヤ教、イスラム教など
政体	共和制
名目 GDP	2兆7840億米ドル（2022年、世界第7位）
通貨	ユーロ

出典：外務省HP / IMF

はじめに

２０２４年夏にはフランスのパリでオリンピックが開かれます。バスケットボールの日本代表は48年ぶりに自力での出場が決まり、バスケットボールのにわかファンが激増しています。

オリンピックは毎回さまざまな話題を提供してきましたが、今回はパリを流れるセーヌ川で開会式が開かれます。どんな趣向を凝らしたものになるのか興味が募ります。

その一方で、今フランスでは「セーヌ川の水質汚染は大丈夫なのか」という声が上がっています。セーヌ川を日本に置き換えてみれば、隅田川で開会式を実施するようなものです。隅田川も随分きれいにはなりましたが、セーヌ川はどうなのでしょうか。

そういえば、隅田川とセーヌ川は１９８９年に「友好河川提携」を結んでいます。どちらも大都市を流れ、その街を象徴する川だからです。もちろん日本人がセーヌ川に憧れているからこそ実現した提携なのですが。

あなたはフランスのパリというと、どんなイメージを持つのでしょうか。私のような世代には、かつてヒットした映画『巴里《パリ》の空の下セーヌは流れる』という名作のタイトルが浮かびます。シャンソンが聞こえてきそうです。そして、セーヌ川の向こうにはエッフェル塔がそびえ立つ。どうもロマンチックになってしまいます。

また、モンマルトルの丘に登ると、多くの画家や画家の卵が絵筆を走らせています。ルーヴル美術館やオルセー美術館には世界中から多くの客が訪れます。

もちろん美食の街としても知られていますが、学生街を訪れると、ベトナム料理店やカンボジア料理店が目につきます。かつてフランスの植民地だったインドシナ半島から大勢の移民がやって来ているのです。私はパリを訪れると、ベトナム料理店でフォーを食べたり、シアヌーク殿下がお忍びで来ていたカンボジア料理店に立ち寄ったりするのが楽しみです。近くには、日本のラーメン店も軒を連ねています。パリには、こんな一面もあるのです。

フランスについて語り始めると、このようになかなか止まらなくなってしまいます。それだけ魅力あふれる国なのです。

でも、その一方で、パリに行くと、しばしば地下鉄のストライキに出くわします。ストライキやデモ行進は、フランスの象徴のような存在です。フランス国民は、政治に不満を持つと、すぐに街頭に出て抗議行動を繰り広げます。それは「フランス革命を成功させた」という成功体験があるからです。

フランス革命というと、私たちは世界史の教科書の中の出来事というイメージがありますが、フランスでは、いまも「フランス革命の遺産」が息づいているのです。パリの地下鉄の駅のホームにはバスティーユ牢獄の基礎の一部がむき出しになって見られるようになっていますし、フランス国歌『ラ・マルセイエーズ』はフランス革命の最中に作られたものです。「武器を取れ、市民よ」という勇壮な歌詞に、その一端が残っています。

フランス革命は、人権の尊さを世界に知らしめました。「世界の人々に人権の大切さを教えたのだ」というフランス人の誇りは、いまも世界中から亡命者を受け入れることにつながっています。

その一方で、マクロン大統領は台湾問題に関し、アメリカや中国に追従すれば「自分たちとは無関係の危機に巻き込まれるリスクがある」と発言しています。米中の対立から距離を置く態度を示しているのです。

そしてこれは、マクロン大統領に限ったことではありません。第二次世界大戦後のフランスを率いたド・ゴール大統領も、アメリカとは距離を置く方針を貫いていました。

フランスは自由主義陣営の一員ではあるが、アメリカに安易に追従することはしないという態度が明確なのです。

他国に追従することなく、自分の国は自分で守る。この方針からＮＡＴＯ（北大西洋条約機構）に加盟してはいますが、核兵器を自力で保持してもいます。軍事大国なのです。

どうですか。そんな複雑な国家がフランスなのです。「フランスは素敵な国」というイメージだけでは捉えきれないのがフランスなのです。そんなフランス像を刷新するために、この本がお役に立てれば幸いです。

２０２３年９月

ジャーナリスト・名城大学教授・東京工業大学特命教授　池上　彰

目次

池上彰の世界の見方 フランス

うるわしの国の栄光と苦悩

本書の情報は２０２３年９月末現在のものです。

本書は、暁星中学校・高等学校（東京都千代田区）で行われた授業をもとに、適宜加筆して構成しています。

構成／岡本八重子

第1章 フランスはどんな国か

国際機関で使われるフランス語

　今日は暁星中学校・高等学校でフランス語を学んでいる人たちが、自主的に私の授業に来てくれました。最初に、フランスってどんな国なのだろうか、ということを一緒に考えていこうと思います。フランスから学ぶことの中には、プラスのことばかりでなく、マイナスのこともあるかもしれない。だからこそ、フランスへの知識を深めることが、自分たちの住んでいる国を客観的に見ることに役立つと思うのです。

　フランス語を勉強している諸君だから、フランスに対していろんな思いを持っているのではないだろうか。まず、君たちがなぜフランス語を勉強しようと思ったのか教えてください。

――**英語の次というか、アフリカも含めて世界で広く話されている言語だからです。**

　なるほど、フランスの旧植民地（P151地図④）は世界に広がっているからね。北西部を中心としたアフリカや、北米、中南米、東南アジアにもフランス語を話す人たちが大勢います。でも、世界で広く話されている言語といえば、中国語やヒンディー語、ヨーロッパの言語ならスペイン語もあるけど（P16図表①）。スペイン語よりフランス語のほうがいい？

――スペイン語人口のほうが多いですけど、うーん、まあ、人の数はそんなに問題ではないかなと。個人的な印象ですけど。

わかりました。じゃあ、ほかには？　そっちの眼鏡をかけている、君、行こうか。

――オリンピック委員会とか国連とか、国際機関では英語とフランス語を併用しているところが多いじゃないですか。将来、そういうところで働いてみたいのでフランス語の勉強を始めました。

なるほど。確かにそれはあるよね。オリンピックの開会式や表彰式での国名のアナウンスは、フランス語、英語、開催国の言葉の順です。国際オリンピック委員会（ＩＯＣ）は、オリンピックの公用語をフランス語と英語に定めていて、フランス語が第一公用語です。これは、フランス人のピエール・ド・クーベルタン（１８６３〜１９３７年）が近代オリンピックを始めたという伝統があるからですね。

また、現在、国連憲章が規定する国連公用語は、英語、フランス語、ロシア語、スペイン語、中国語の５か国語ですが、実際には英語とフランス語による運用がほとんどです。確かに、国際的にいろんなところで使えるのは、英語であり、フランス語だっていうことだよね。君はなかなか、戦略的に選択しているね（笑）。ほかにありますか。

――フランスに一度は行ってみたいなと思うのもあるし、フランス語が好きだからです。

図表①―**世界で最も話される言語**

｜出典：Ethnologue Languages of the World 2022 25th edition、Berliz HP をもとに編集部で作成

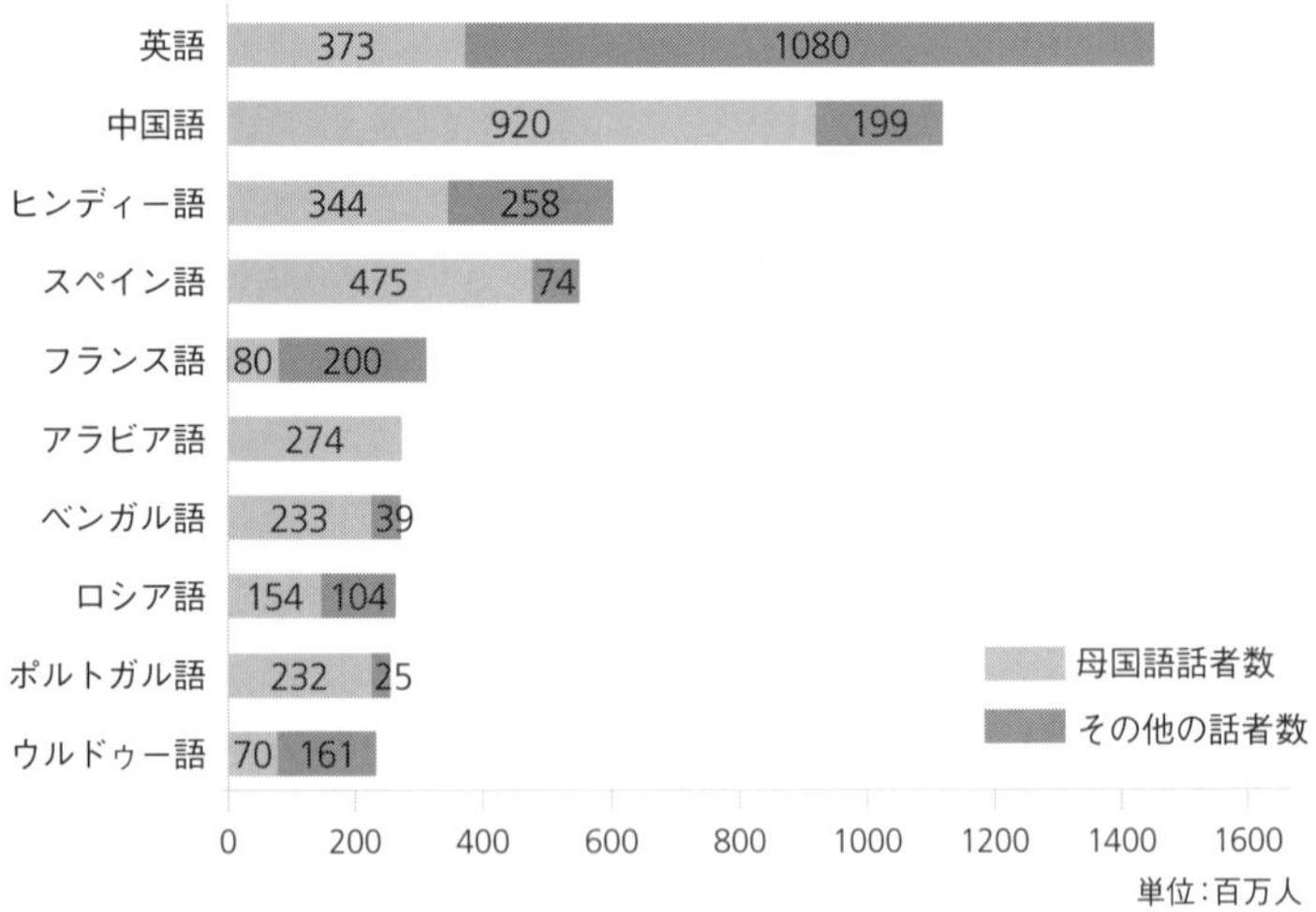

上位の言語を母国語・公用語とする主な国・地域(地域での公用語や第２公用語を含む)

英語

アメリカ、イギリス、オーストラリア、カナダ、ニュージーランド、アイルランド、南アフリカ、ジャマイカ、バハマ、グレナダ、ガイアナ、リベリア、マルタ、インド、パキスタン、ガーナ、フィリピン、シンガポールほか、トリニダード・トバゴ、ガイアナ、フィジー、トンガなど中央アメリカやオセアニアの国など

中国語

中国、香港、マカオ、台湾、シンガポールなど

ヒンディー語

インド

スペイン語

スペイン、メキシコ、コロンビア、アルゼンチン、ペルー、ベネズエラ、チリ、エクアドル、グアテマラ、キューバ、ボリビア、ドミニカ共和国、ホンジュラス、パラグアイ、エルサルバドル、ニカラグア、コスタリカ、パナマ、ウルグアイ、プエルトリコ、赤道ギニアなど

フランス語

フランス、カナダ、ベルギー、スイス、モナコ、ルクセンブルク、コンゴ民主共和国、カメルーン、コートジボワール、マダガスカル、ハイチ、セネガル、ブルキナファソ、ベナン、ギニア、マリ、トーゴ、コンゴ、ニジェール、チャド、中央アフリカ、ガボン、ブルンジ、ルワンダ、ジブチ、赤道ギニア、コモロ、バヌアツ、セーシェルなど

どうしてフランス語が好きなの?

――スタイリッシュだから(笑)。だけど、軽薄なイメージもちょっとあります(笑)。

なるほど。スタイリッシュだからって答えること自体がちょっと軽薄な感じがしますけど(笑)。でも、すごくわかるんだよね。たとえば同じヨーロッパのイギリスやドイツに比べて、なんとなくスタイリッシュっていう感じがする。なぜだろうね?

――たぶん、イギリスとかドイツとかに硬いイメージがあって、そのせいでフランスがなんていうか、ちょっと、言葉が思いつかないのですが……。

相対的にフランスが魅力的だっていうことね。

――まあ、そういうことです(笑)。

はい、ありがとう。フランスには移民が多く、国内にはいろいろな地域言語がありますが、公用語としては認められていません。フランスの公用語はフランス語だけです。フランス人は自国の言葉に強い誇りを持っています。とはいえ、外国からの観光客がフランス語を話さないといけないというわけではありません。でも、英語で「エクスキューズミー」や「ハロー」とあいさつするよりは、「エクスキュゼモア」「ボンジュール」と言ったほうがいい。フランス人の態度も違うはずです。そのあとは英語や身ぶり手ぶりで伝えましょう。フランス語を勉強している君たちには、なんの心配もないけどね。ほかに、誰かどうですか？　じゃあ、その後ろのさっき手を挙げた人、どうぞ。

――**フランス語を選択する前からちょっとスペイン語をやっていて、それで、フランス語とスペイン語って、単語が似ていますよね。だから、フランス語を学べば、スペイン語の勉強の効率が上がるかなと思って選択しました。**

なるほどね。私のＮＨＫ時代の後輩もフランス語を学んだら、同じラテン系の言葉だから、イタリア語もスペイン語も理解しやすいって言っていました。ラテン系のどこかの国の言葉をひとつ究めると、周りの国の言葉もだいたいわかるという。そういう意味でも、フランス語っていうのは汎用性がある。将来とても役に立つ言葉だといえますね。

先ほど、フランスに一度は行ってみたいと言った人がいましたけど、フランスは世界で最も観光客が訪れる国であり、首都パリは世界一の観光都市です。セーヌ川が流れていて、エッフェル塔があって、ルーヴル美術館やオルセー美術館があって、ノートルダム大聖堂は２０１９年に火災にあって再建中ですけど、パリに行くと見どころがいっぱいあります。でも、シンボルになるのは、やはりエッフェル塔でしょう（左ページ図表②）。

日本の女性国会議員たちがフランスに「研修」に行って、エッフェル塔の前でエッフェル塔の真似をして記念撮影し、それをＳＮＳで公開したため「観光旅行に行ったのか」と批判される出来事もありました。ついやってみたくなる魅力があるのでしょう。

エッフェル塔はフランス革命100周年記念の1889年にパリで開かれた万国博覧会の目玉として建設されました。最新鋭の技術によって、鉄でこんなに立派な塔を造れるんだぞと、万博でお披露目したわけです。ところが、当時はまだ石造りの建物が主流だったので、「鉄骨むき出しの塔なんて醜い」という意見もかなり多かったようです。『女の一生』などの作品で知られる作家のギ・ド・モーパッサン（1850〜93年）は、エッフェル塔が大嫌いだったので、塔の中のレストランに好んで通いました。中に入ればエッフェル塔の姿を見なくてすむからです。

そんな逸話が残るエッフェル塔ですが、塔には、エレベーターも登場しました。エッフェル塔の上に行くためのエレベーターができ

図表②—**旅行客数（受け入れ）ランキング**｜出典：国連（2019年）

	国名	観光客数（単位：千人）
1	フランス	89322
2	スペイン	83509
3	アメリカ	79256
4	中国	65700
5	イタリア	64513
6	トルコ	51192
7	メキシコ	45024
8	タイ	39916
9	ドイツ	39563
10	イギリス	39418
11	オーストリア	31884
12	日本	31882
13	ギリシャ	31348
14	マレーシア	26101
15	ロシア	24419

セーヌ川河畔から見るエッフェル塔
写真提供：Steve Vilder / PPS通信社

たのです。蓄音機などの発明で知られるトーマス・エジソンもエッフェル塔を訪れ、このエレベーターで最上階の展望台に上っています。まさに、世界の最先端を行く花の都パリだったわけですね。

パリ万博が終わると、エッフェル塔の役割は終わり、20年後くらいに取り壊す予定でした。ところが、フランス軍の通信担当者がエッフェル塔で無線電波の送受信を提案し、国防上重要な建築物となったため、そのまま残されることになりました。それ以後もエッフェル塔はラジオ、テレビの電波塔としての役割を担っています。

もし、エッフェル塔に行くことがあったら、先端部分を見てください。アンテナが立っているのがわかります。ちょっと格好悪いかもしれませんが、このアンテナのおかげで電波塔として現在まで存続することができたのです。

パリには、私もこれまで何回か行っていますけど、見どころがありすぎて、とても全部を見ることができません。ルーヴル美術館も何回か行きましたが、一部を見ただけという状態です。２０２４年にはパリオリンピックが開かれます。これからますますフランスのことがニュースになるし、話題にもなるのだろうと思います。

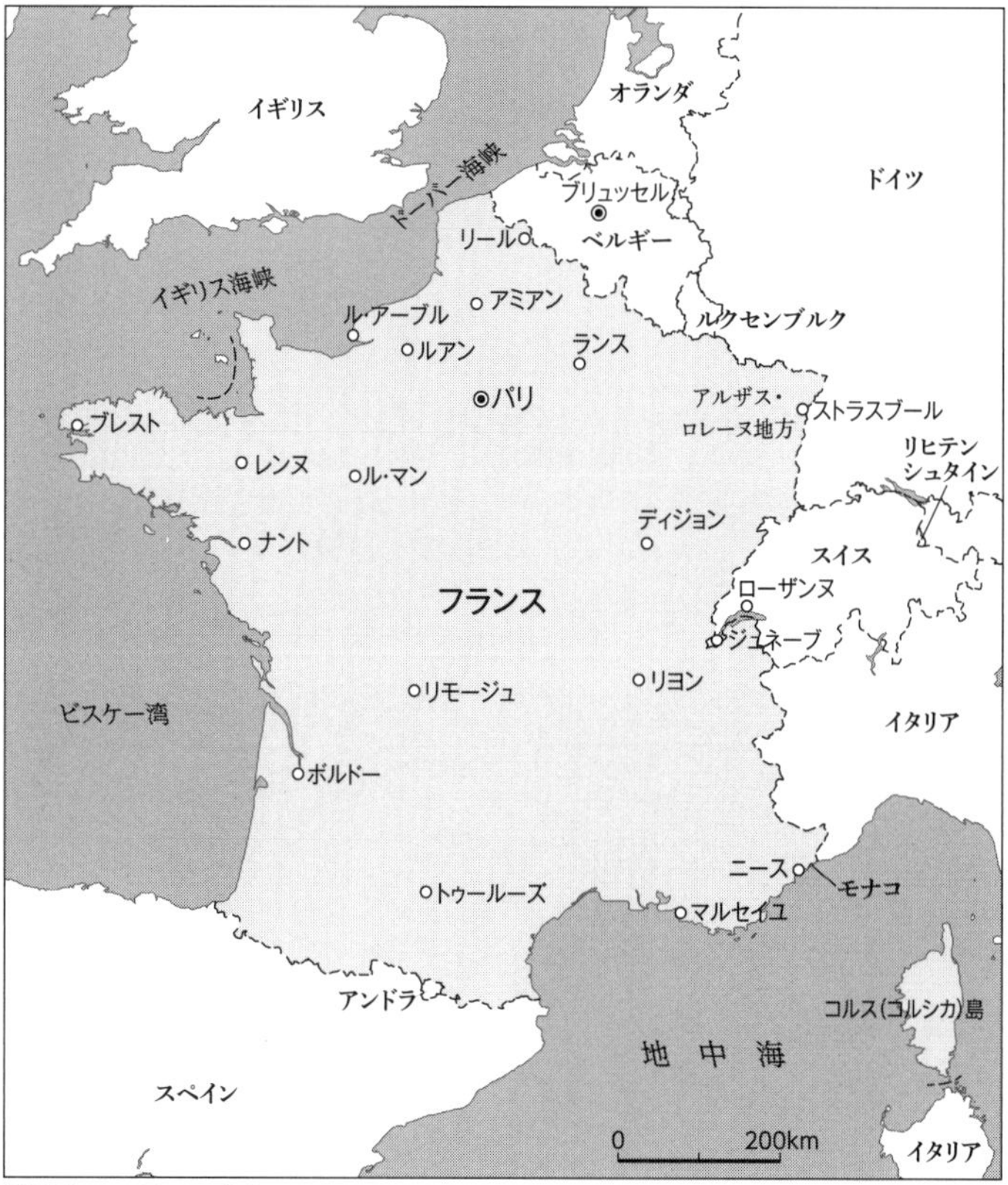
イギリス
オランダ
ドーバー海峡
ドイツ
ブリュッセル
リール
ベルギー
イギリス海峡
アミアン
ル・アーブル
ルクセンブルク
ルアン
ランス
パリ
アルザス・
ロレーヌ地方
ストラスブール
ブレスト
リヒテン
シュタイン
レンヌ
ル・マン
ディジョン
ナント
スイス
フランス
ローザンヌ
ジュネーブ
リモージュ
リヨン
ビスケー湾
イタリア
ボルドー
ニース
モナコ
トゥールーズ
マルセイユ
アンドラ
コルス(コルシカ)島
地　中　海
スペイン
0
200km
イタリア

地図①―フランス全土

「スイス語」や「ベルギー語」はない

フランスの地図を見てみましょう。「フランス全図」となっていますが、隣接する国々も描かれていますね（P21地図①）。この地図の中に出てくる国、私はルクセンブルクだけ行っていないのですが、あとの国は全部行きました。

フランスの国境線に注目して見てください。フランスとスペインとの間にアンドラという小さな国があるでしょう。正式には「アンドラ公国」といいます。公国とは身分の高い貴族が君主として代々統治している国のことです。君主制の国家という点では「王国」と同じですが、元首が王ではなく、大公（Grand duke や Prince）などの爵位を持つ貴族であることから、名称を使い分けているのです。ただ、アンドラは少し特殊で、フランス大統領とスペインの司教が共同元首となっています。

アンドラは西欧ではピレネー山脈の真ん中に位置するスキーリゾートとして知られていますが、実は２０１１年までタックス・ヘイブン（Tax Haven）といって、ここに財産を移すと所得税などの税金がかかりませんでした。だから、とてつもないお金持ちが住んでいて、びっくりするような高級車がいっぱい走り回っていましたね。現在は税金を徴収されるようになり、タックス・ヘイブンではなくなりましたが、ほとんどのものが免税で購入できるので、買い物天国となっていて多くの観光客が訪れています。公用語はカタルーニャ語（スペイン東部のカタルーニャ州の言語）ですが、フランスと接しているから、フランス語も当然使われています。

　国境に近い小さな国といえば、地中海に面したモナコ公国もそうだよね。フランスの中を走っていると、突然、「ここからモナコ」という表示が目に入ります。日本でいえば、ここから埼玉県、ここから千葉県という表示と同じで、いつのまにかモナコに入る感じです。モナコは、F1世界選手権の一戦であるモナコグランプリが有名でしょう（写真①）。公道を使った自動車レースで、お金持ちをは

写真①―モナコの公道で行われる「F1レース、モナコグランプリ」｜写真提供 Alamy／PPS通信社

じめ大勢の人が観戦に来ます。カジノもあって、こちらも高級車がいっぱい走っているところです。モナコの公用語はフランス語ですね。

　ちなみに、ヨーロッパに残るもうひとつの公国が、スイスとオーストリアの間に位置するリヒテンシュタイン公国。ここは侯爵家が治めているので、本来はリヒテンシュタイン侯国なのでしょうが、日本政府は公国と表記しています。私は公世子（公国における皇太子に相当する人）にインタビューしたことがあります。この国の公用語はドイツ語です。

　スイスもフランスと国境を接する国ですね。多言語国家で、西部のジュネーブやローザンヌあたりはフランス語圏です。そして、中心部から北側にかけてはドイツ語、イタリ

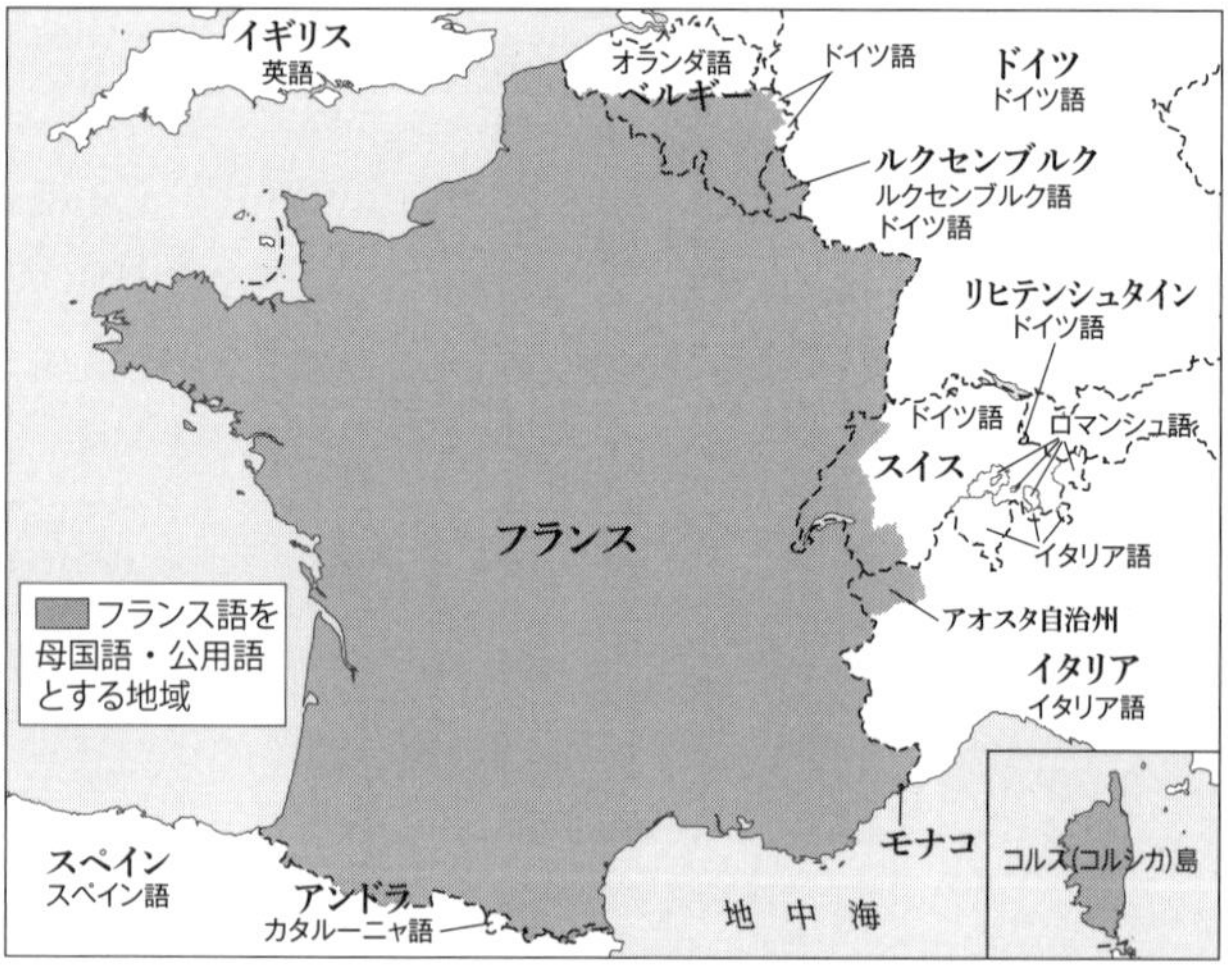

地図②—フランス周辺のフランス語圏地図

アの国境線に食い込んでいる南部ではイタリア語を話します。さらに、スキーリゾート地で名高いサンモリッツのある東部のグラウビュンデン州では、イタリア語に近いロマンシュ語とドイツ語が使われています。スイスの公用語は、ドイツ語、フランス語、イタリア語、ロマンシュ語の四つの言語。つまり、スイス語ってないわけです。

そして、フランスの北のベルギーも、ベルギー語というものがありません。ベルギーの南部はフランス語圏になるわけですね（右ページ地図②）。北側はオランダ語圏、東側はドイツ語圏になる。ベルギーの首都ブリュッセル周辺ではどこでもフランス語が通用します。フランス語って本当にいろんなところで通用するなと思いました。では、ここで質問です。

Q EU（欧州連合）の本部はどこにあるでしょう？

――ベルギーの首都ブリュッセルにあります。

正解です。EUの本部がなぜブリュッセルになったのかというと、まさに、ベルギー語という言葉がなかったからなのです。どういうことか？　EUというのは、イギリスが抜けて現在27か国あるわけですが、中でもフランスとドイツは大国だよね。そのどちらかに本部を置くわけにはいかない。その点、ベルギーはフランス語、オランダ語、ドイツ語と、いろんな国の言葉を話す人がいて、まさにEUを象徴しているような国です。だから、ブリュッセルに本部を置こう、となったわけです。

ちなみに、EUの司法裁判所本部はルクセンブルクの首都ルクセンブルク市にあります。議会もルクセンブルクに置く考えもあったのですが、適当な建物がありませんでした。じゃあ、どこに置こうかと考えて、ドイツとの国境付近にあるフランスのストラスブールに決めたのです。このあたりは、石炭がたくさんとれて鉄鋼業が盛んだから、フランスとドイツの間でしばしば戦争になっていました。ドイツが占領したり、フランスが占領したりしていたところです。結果的にフランスの領土になりましたが、このあたりに住んでいる人はフランス語もドイツ語も話せるバイリンガルの人たちがいっぱいいる。ああ、ここがいいじゃないかと、EUの議会が置かれたということですね。

フランスの周辺を見ていくと、自国語を持たない国があったり、おとぎ話に出てくるような小さな公国があったり、興味深いですね。ヨーロッパの奥深さを感じます。

日本の公用語がフランス語になるところだった⁉

日本では古くからフランスへの憧れ、思いを語ってきた人たちがいます。たとえば、詩人の萩原朔太郎《はぎわらさくたろう》が1925年に『純情小曲集』という詩集を刊行しました。その中の「旅上」という題名の詩が有名ですね。

「ふらんすへ行きたしと思へども　ふらんすはあまりに遠し　せめては新しき背広をきて　きままなる旅にいでてみん。」という冒頭部分は特によく知られています。当時、フランスに行くには船で優に1か月以上かかりました。今は航空機で、ロシアの上空を避けて飛んでも12～14時間で行けますけれど、本当に遠い憧れの国だったわけです。

第二次世界大戦が終わった直後、1946年のことですが、作家の志賀直哉《しがなおや》が日本の国語をフランス語にすべきだと主張したんですね。戦争に負けて日本中が意気消沈している時に、志賀直哉は国語問題についての小論文を書いて、こんなふうに語っています。

「日本の将来を考えると一番大きな問題は国語問題だ。国語に慣らされているので敏感になれないが、これほど不完全で不便なものはないし、文化の進展も大変阻害されている。この解決なくして、文化国家としての日本の将来はない、といっても過言ではない。」（名古屋女子大学 紀要51号 人文社会編『国語外国語化論の再考Ⅱ』山井徳行より　志賀直哉全集第七巻「國語問題」の縮約から抜粋 以下引用文同）

つまり、日本語というのは遅れた言語なのだと言っています。志賀はさらに、明治初頭の1872年、のちに文部大臣になる森有礼《もりありのり》が、日本の国語を英語にすべきだと主張したという主旨のことを紹介し、そうすればよかったと述べています。日本の文化がもっと進んだろうし、戦争も避けられただろうというのです。

日本は戦争で負けてしまった。この際、新しく生まれ変わった日本はフランス語を国語にすべきだと志賀は主張し、論文でこう言っています。「私は世界で一番いい言語、一番美しい言語、フランス語を国語に採用する英断をするべきだと思う。」世界でいちばん美しい言葉だそうですよ、フランス語はね。

ところが、志賀直哉は正直です。「外国語のことはよく知らないが」と言っています。「外国語のことはよく知らないが、フランスは文化先進国でもあり、小説や韻文でも日本と共通のものがあると云われる。それにフランス語は文人によって整備された言葉であるとのことで最適と思う。」文人とは、文化人や作家のことです。さらに「国語の切換えは、教員の養成が出来た時に小学校一年から順次行なえばよい。韓国語を日本語に切換えた例もある。」つまり、日本が朝鮮半島を植民地にした時に、その人たちに日本語を強制したでしょう。韓国語から日本語に切り換えたことがあるのだから、日本語をフランス語に切り換えることだってできるはずだと言っています。

すごいでしょう。フランス語にしていたら、いったいどうなっていたのか。もしフランス語になっていたら、日本の古典の勉強をするのが逆に難しいよね。古典がまったく理解できないという状態になっていたでしょう。結局、日本は日本語をそのまま使うことに決めましたが、過去にはそういう議論もあったのですね。

志賀直哉はフランス語にすべきだと言いましたが、当時、日本を占領していたＧＨＱ（連合国軍最高司令官総司令部）は、漢字を廃止し、日本語をローマ字化しようとしていました。日本語は漢字・カタカナ・ひらがなと、たくさんの文字を勉強しなければいけない。特に漢字は数が多く、使い方も複雑で、覚えるのに時間を取られすぎる。だから、論理的あるいは科学的な勉強がおろそかになり、まったく合理的でない戦争を始めてしまったのだというのです。確かに、戦前まで漢字の使用についてはなんの制限もなかったため、数が膨大で、字体も複数あって、統一されていませんでした。

ＧＨＱは日本に対して、漢字廃止だけでなく、男女共学にしろ、ＰＴＡを導入しろ、教育委員会制度をつくれと言ってきました。日本は、それらをほぼ受け入れましたが、漢字廃止計画にはさすがに抵抗して、ちょっと待ってくださいと押しとどめます。いきなりローマ字化するわけにはいかないので、とりあえず、当面用いる漢字を選びますということになり、「当用漢字」を決めて、一般の社会生活で使われる漢字の数を制限しました。「当用」とは「さしあたっての用事」という意味。当用漢字は「さしあたって用いる漢字」だったのです。

ＧＨＱは、難しい漢字のせいで日本人の識字率が低いことを示そうと、全国的な読み書き能力調査を行いましたが、非識字率は非常に低く、逆に日本人の識字率の高さが証明されることになりました。

結局、漢字は廃止されず、GHQは去りましたが、当用漢字表はその後も使われ続けました。私が君たちの頃は、学校で当用漢字を習っていたのです。その後、漢字の制限が緩和され、1981年に「当用漢字」が「常用漢字」に名称変更されると、漢字の数も増えました。2010年の改訂でさらに増えています。君たちは、その「常用漢字」を勉強してきたはずです。

歴史的に見れば、とりあえず、当面使う漢字を決めて日本語を維持した。その後、常に用いる漢字として現在まで使われている、ということですね。どんな言語を国語にするのかという大きな議論が、実は日本でもあったことを知っておきたいですね。

戦争をしたドイツとイギリスへの思い

話はちょっと脱線しますが、フランスについての小咄《こばなし》を紹介しましょう。昔、神様が世界をつくった。フランスは肥沃な土地で、景色が美しく、食べ物もおいしい国だった。すると周りの国々が、「神様、なんでフランスだけあんなにいい国にしたのですか」と不平を言った。それを聞いた神様が、「わかった、じゃあ、フランスには〝フランス人〟を置こう」と言った。わかりますか、これ。

フランスはあまりにいい国だからバランスを取らなければいけない。いい国だから、その代わりに、そこの国民はちょっとひねくれたやつを置く、これでほかの国とのバランスが取れるという意味になるのですが。

フランス人はこんな小咄を言いませんよ（笑）。周りの国が言うわけです。ある人がフランスに行って、フランス人にこの小咄をしゃべったところ、もう、大ひんしゅくを買ったそうです。当然だよね。

もうひとつ、今度は、フランス人が喜ぶような小咄があって、フランスは本当に素晴らしい国だと。でも、フランスだけ恵まれているのは不公平じゃないかと、周りの国が言った。すると神様が「わかった、じゃあ、フランスの隣に〝ドイツ〟をつくろう」と言ったと。この意味はわかるよね？　要するに、バランスを取るために隣にとんでもない国を置いたということですね。フランスとドイツは仲が悪い。悪いどころか、これまで何度も戦争をしてきました。20世紀には2度の世界大戦で敵対しましたが、19世紀後半にも普仏《ふふつ》戦争で戦っています。

だから、今でこそ、ＥＵもできて、みんな仲よくやっていますが、フランス人の中には、かつてたびたびドイツの侵略を受けたことに対する歴史的嫌悪感というのがどこかに残っている。あるいは、イギリスのことが大嫌いなフランスの人たちもいるのです。

かつて、フランスとイギリスはとても仲が悪く反目し合っていました。イギリスがいつ攻めてくるかわからない。フランスの国王は、防備を固める必要がありました。その歴史を残しているのがルーヴル美術館です。

ルーヴル美術館は、もともと12世紀末にパリの街を守るためにつくられた要塞でした。兵士たちを戦場に送り出すと手薄になる都市の防衛を目的としてつくられたのです。ルーヴル美術館の地下に行くと、要塞の面影が残っています（写真②）。その後、イギリスとの百年戦争（１３３９～１４５３年）中に城館

写真②—ルーヴル美術館の地下にある中世の要塞跡｜写真提供：Issey Hattori / PPS通信社

として建て替えられ、さらに、フランソワ1世など歴代の王によって華やかな王宮につくり変えられます。ルイ14世時代にヴェルサイユ宮殿へ宮廷が移ると一時荒廃したものの、フランス革命後に王室の美術品が収蔵・一般公開されるようになり、現在のルーヴル美術館に発展していったのです。

フランス住民の3分の1が「移民系」

君たちがフランス語を学ぶ理由を聞いた時にも触れましたが、フランスは、いろんな国から来た人たちがいる移民大国です。フランスの移民の割合は2020年に約13%でしたが（P124図表⑩上）、フランス国内の調査によると、親が移民という人を加えると20%を超え、祖父母が移民という人も加えると30〜35%に上るといいます。つまり、フランス住民の3分の1が「移民系」ということになります。

たとえば、オランド前大統領（在任2012〜17年）は、名前どおり、オランダ系の家系です。祖先がオランダからやってきたから、オランドという姓になっているのです。その前のサルコジ元大統領（在任2007〜12年）は、父親がハンガリーからフランスに来た移民で、移民の2世ということになります。フランスは、ふたりの大統領のような移民がいっぱいいる国なのです。
以前はヨーロッパからの移民が多かったのですが、現在では移民の約半分がアフリカ出身です。特に北アフリカ系が多く、アルジェリア、モロッコ、チュニジアなどからの移民が上位を占めます（P124図表⑩下）。

――以前にニュースで、パリにはホームレスが結構多いと聞きました。移民の人たちがホームレスになってしまうケースが多いのでしょうか。

それは、やっぱり多いですね。あなたがニュースで見たのは、難民としてフランスに来た人たちでしょう。難民は紛争や迫害などの理由で国から逃れてきた人で、移民は主に経済的な理由で他国に移住する人を指します。2010年以降、特に2015～16年に、中東や北アフリカでの紛争や内戦などを逃れ、ヨーロッパのEU圏内にやってくる人々が急増し、「ヨーロッパ難民危機」と呼ばれました。大別するとこの時に、ドイツへ行く難民とフランスに行く難民がいました。フランスに行った人たちの中には、そのままフランスで生活したいという人がいる一方で、イギリスに行きたい人たちが大勢いたのです。イギリスもフランスと同じように難民・移民の人たちを受け入れてきたでしょう。イギリスの彼らに対する社会保障や就労条件は、フランスよりもいいとされています。それに、イギリスの植民地だった国や、英語が公用語になっている国から来た人たちにしてみれば、イギリスには母国から行った人たちがすでに暮らしていてコミュニティーがあるわけだよね。だから、無理をしてでもイギリスに行きたいと思うのです。

ところが、イギリスへ行くにはドーバー海峡を渡らなければならず、フランスまでたどり着いたとしても、すぐに行くことができません。そこで、フランス北部のドーバー海峡に面したカレーという港町に、なんとかイギリスへ行きたいとチャンスをうかがう人たちが大勢集まり、数千人が暮らす大規模なキャンプ、通称「ジャングル」ができたのです。

フランス政府は、スラム化した「ジャングル」から難民を立ち退かせて、フランス各地の臨時避難施設へ移し、そこで難民申請を受けつけることにしました。しかし、あまりにたくさんの難民が来たためにきちんと収容できずに、多数のホームレスが生まれたのです。だから、今もパリに行くと、さすがにパリの中心部にはいませんが、ちょっと離れるとアラブ系のホームレスが大勢いるということですね。

一方、難民が押し寄せた時、ドイツはどうしたのかというと、当時のアンゲラ・メルケル首相が100万人以上の難民を受け入れますと言って、国内の州の経済力と人口に合わせて人数を割り振りました。そのため、それぞれの州が施設をつくったり、いろんな企業がキャンプを設置したり、受け入れ態勢を取ることができたのです。だから、ドイツでは、ほとんどホームレスになる難民が出ませんでした。フランスは、詰めが甘いというのかな。

結局、ホームレスがずいぶん生まれてしまったということです。
そして、ドイツがなぜ難民をそれほど一生懸命受け入れたかというと、第二次世界大戦中のユダヤ人の虐殺によって世界中から非難された、その反省から、困っている人たちを受け入れようじゃないかという思いが多くのドイツの人たちにあって、自主的に難民を受け入れたのです。そこがかなりほかの国と違うのですね。フランスは、困っている人は受け入れますよという姿勢でやったんだけど、残念ながら、多くのホームレスが生まれてしまったのです。

――フランスには移民が多く、さまざまな人種の人がいるとのことですが、自分がフランスに旅行で行ったとして、日本人とかアジア人をフランス人がどう見ているのか気になります。

フランスは多くの移民を受け入れて、人権を大事にする国ですが、当然、露骨な差別があったり、見えない差別があったりします。もちろん、差別意識がまったくない人も大勢います。これは、本当に人によるわけですね。
みんなもこれから世界のあちこちへ行くようになると、思わぬところで、アジア人だから差別されているのかな、という思いを持つことがあるでしょう。私も、アメリカなどの店で、後ろの順番の白人が優先されるという露骨なアジア人差別を経験したことがあります。これは別に特定の国に限りません。世界のどこに行っても、残念ながらそういうことがあるのだということです。

現在のフランス人には、移民のルーツを持つ人が多いという話をしてきましたが、もうひとつ、日本と大きく違うことがあります。フランスでは正式に結婚した夫婦から生まれる子どもよりも、婚外子《こんがいし》、つまり、正式に結婚していない男女の間に生まれる子どものほうが多いのです。2020年の調査で、フランスは婚外子の比率が約62%を占めています。ちなみに日本は2・4%しかいません（P38図表③下）。

日本の場合、婚外子が法的に長らく差別されてきました。2013年に法改正されるまで、婚外子の法律上の相続分は結婚した夫婦から生まれた子ども（嫡出子《ちゃくしゅつし》）の半分でした。現在では婚外子と嫡出子の相続分は同じです（婚外子は「認知」が必要）。でも、依然として、婚外子だと不利益を被るイメージがあるでしょう。日本の出生率の低さの要因のひとつと考えられています。

フランスでは、婚姻関係の有無にかかわらず、子どもは平等に扱われます。法的にも、人々の意識のうえでも、正式な夫婦から生まれた子どもとなんら差がありません。だから、婚外子が6割を超えているわけですね。ただし、ここにはもうひとつの事情があって、フランスの場合、カトリック信者が多いでしょう。カトリックでは離婚が認められていません。教会で正式に結婚をしてしまうと、離婚しづらくなるから事実婚を選んでおくという人た

図表③―**フランスにおける出産の状況**

○合計特殊出生率*の変化(2021年) | 出典:世界銀行

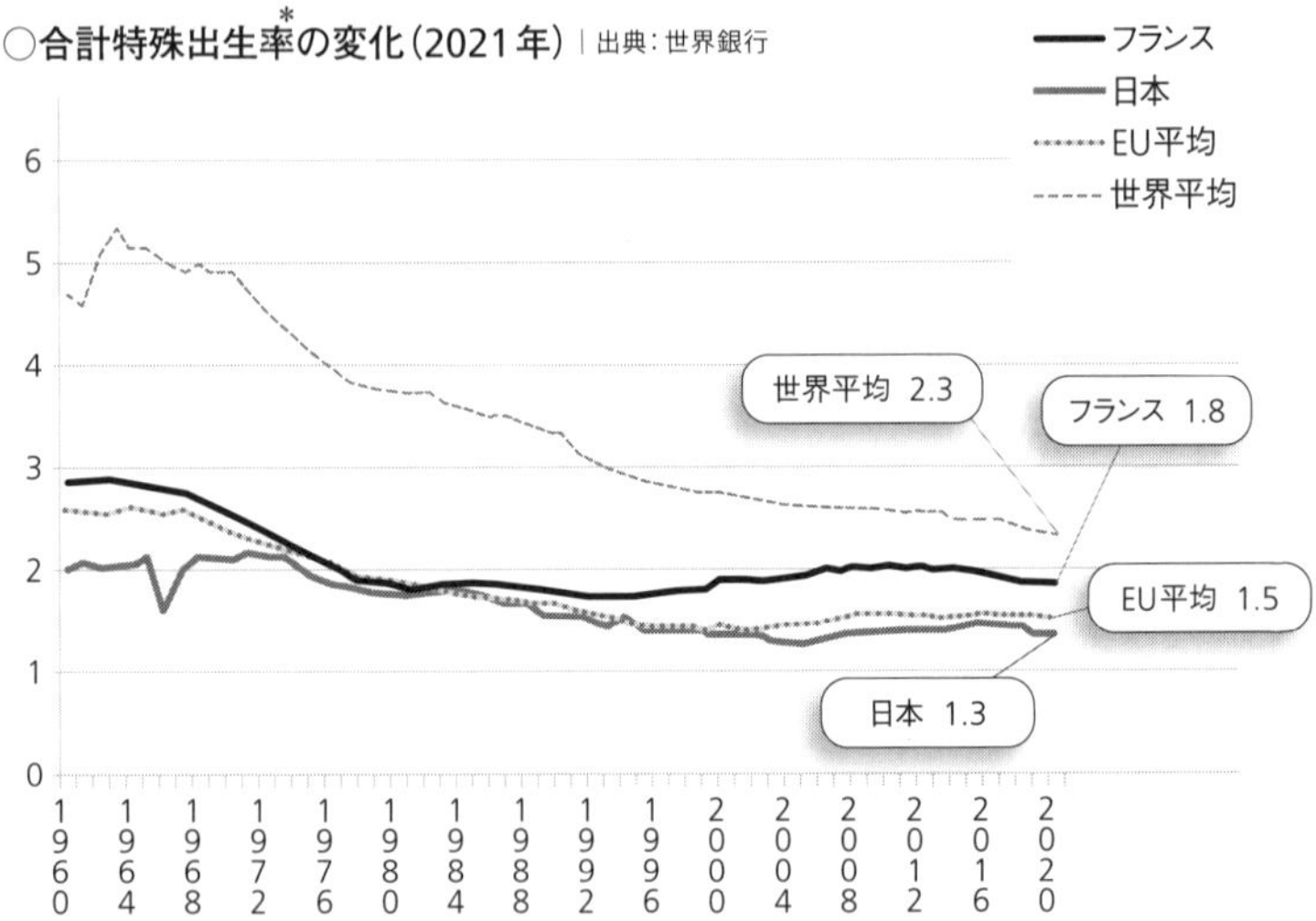

*15歳から49歳の女性の、年齢別出生率を合計した指標。一人の女性が平均して一生の間に何人の子どもを産むかを表す

○出生数に対する婚外子の割合の高い国(2020年) | 出典:OECD

国名	割合(%)
チリ	75.1
コスタリカ	72.5
メキシコ	70.4
アイスランド	69.4
フランス	62.2
ブルガリア	59.6
ノルウェー	58.5
ポルトガル	57.9
スロベニア	56.6
スウェーデン	55.2
イギリス	49.0
アメリカ	40.5
ドイツ	33.1
日本	2.4

ちが多いのです。

フランスはこの1世紀もの間、少子化問題にも取り組んできました。こういった、結婚するか、しないかにかかわらず、生まれた子どもは皆同じ権利を持ち、支援が受けられることや、家族手当、減税や年金加算など、子どもを産めば産むほど得をするような制度改正がなされた結果、出生率は他のEU諸国に比べ高くなっています（右ページ図表③上）。

政治犯の亡命を受け入れる伝統

次の章で取り上げますが、フランスは、フランス革命によって、人権を大切にするという伝統が生まれて、脈々と続いてきました。フランスは「人権大国」でもあるわけですね。その誇りを持っているから、さまざまな国で政治犯となって逃げてきた人たちを受け入れてきたのです。

たとえば、イラン・イスラム革命（１９７９年）を指導したルー・ホッラー・ホメイニ師（１９０２〜８９年 P40写真③）がそうですね。ホメイニ師はアヤトラと称される高位のイスラム法学者でしたが、革命前に当時のイラン国王を批判して国外追放となり、約２か月半フランスに亡命していました。地方の小さな村の一戸建ての家を借りて住んでいたのです。今でもイランに行くと、ホメイニ師がフランス亡命中に描かれたという絵が残っています。フランスの片田舎でホメイニ師が物思いにふけっているという絵ですが、遠くのほうにフランスの警察のパトカーが描かれている。つまり、ホメイニ師の身の安全をフランスが守っていたということです。

そして、イランのイスラム革命がいよいよ実現するとなった時に、ホメイニ師はエールフランス機でイランに帰国しました。こうしてイランのイスラム革命が成功したわけですが、ホメイニ師にしても、あるいは、イランの革命政権にしてもフランスに恩義を感じるわけだよね。自分たちを守ってくれたフランスに対しては強硬な態度が取れません。

いろんな国から政治犯の亡命を受け入れる

写真③—**ルー・ホッラー・ホメイニ（1902～89年）**

｜写真提供：ullstein bild/時事

イランのイスラム法学者・宗教家。イラン中西部のホメインに生まれる。イスラム法学を学び、シーア派の高位の法学者「アヤトラ」となる。1964年、パフレヴィー国王が始めた近代化政策「白色革命」に反対し、国外追放される。長くイラクで過ごしたのち、1978年フランスに亡命する。翌年、イランでイスラム革命が起こると、国民の間で革命のシンボル的存在となり帰国、最高指導者となった。イスラム法学者が国を統治すべきであるとするホメイニの考えは、その後のイランの体制の根幹となった。1989年、テヘランで死去。日本ではホメイニ師の呼称で知られる。

と、それぞれの国の政権とは緊張関係が生まれるかもしれない。けれども、いずれ亡命者がそれぞれの国に戻って政権を取るかもしれないわけでしょう。つまり、長い目で見ると、人権を守るという原則を貫くことがフランスの国益になるということですね。

　最近でいえば、2022年にロシアがウクライナに軍事侵攻した時、ロシア国営テレビの生放送中に「戦争反対」のプラカードを掲げて画面に飛び出してきた女性がいたでしょう。彼女は捕まって、ロシアで監視対象になっていましたが、ウクライナ侵攻から1年を前にして、フランスに亡命しました。今、彼女はフランスで生活をしています。民主化運動をしたり、独裁政権に反対したりして、その国にいられなくなった人を積極的に受け入

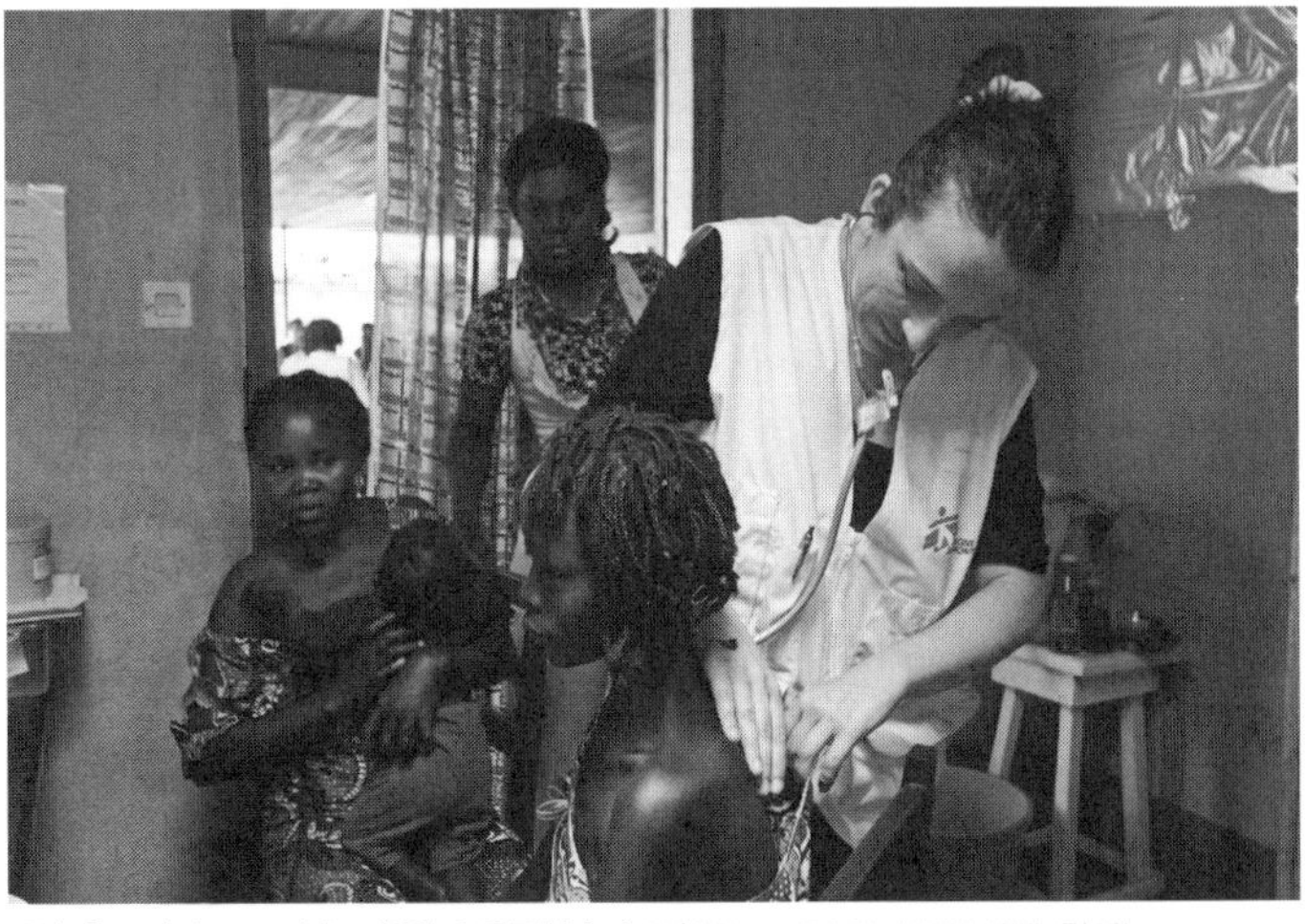

写真④　中央アフリカで活動する国境なき医師団　写真提供：Alamy／PPS通信社

れる。フランスは懐《ふところ》の広い国であり、それがまた世界から信頼を得ているのです。

世界からの信頼といえば、「国境なき医師団」というのがあるでしょう。世界中、どんなところでも紛争があったり、地震があったりすれば、そこに駆けつける。紛争であれば敵味方に関係なく治療をすることで非常に有名な組織ですね（P41写真④）。日本にも支部がありますが、「国境なき医師団」はフランスで誕生した組織です。

困っている人がいれば、世界中どこにでも駆けつけて手を差し伸べる。フランスはそういう国でもある。そして、そこにはかつてフランス革命によって、人権の尊《とうと》さを世界に広めた国だという誇りがあるのです。

フランスの政治体制は「半大統領制」

フランスの政治体制がどうなっているのか見ていきましょう。現在のフランス大統領はエマニュエル・マクロン（在任2017年〜）ですね。大統領の任期は5年ですが、2022年4月の大統領選挙で再選され、2期めになりました。ところで、ニュースなどに出てこないから、日本では名前も知られていませんが、フランスには首相もいます。今の首相はエリザベット・ボルヌという人で、30年ぶり史上2人めの女性首相です。フランスには、首相が率いる内閣もあるわけですね。

　つまり、フランスは大統領制と議院内閣制が一緒になったような国なのです（図表④）。「半大統領制」と呼ばれることもあります。大統領は、国民の直接選挙によって選ばれます。大統領は国家元首であり、外交交渉の最高責任者であり、軍隊の最高指揮官です。

　一方、議会は二院制で、元老院（上院）と国民議会（下院）があります。日本やアメリカ、イギリスの二院制と違って、ひとつの議会を構成する議院ではなくて、それぞれが独立した議会なのです。場所もパリ市内の違うところにあって、元老院がリュクサンブール宮殿を、国民議会がブルボン宮殿を議事堂に使用しています。元老院議員は、各自治体に割り振られた選挙人たちによる間接選挙で選

図表④ — **フランスの政治体制**

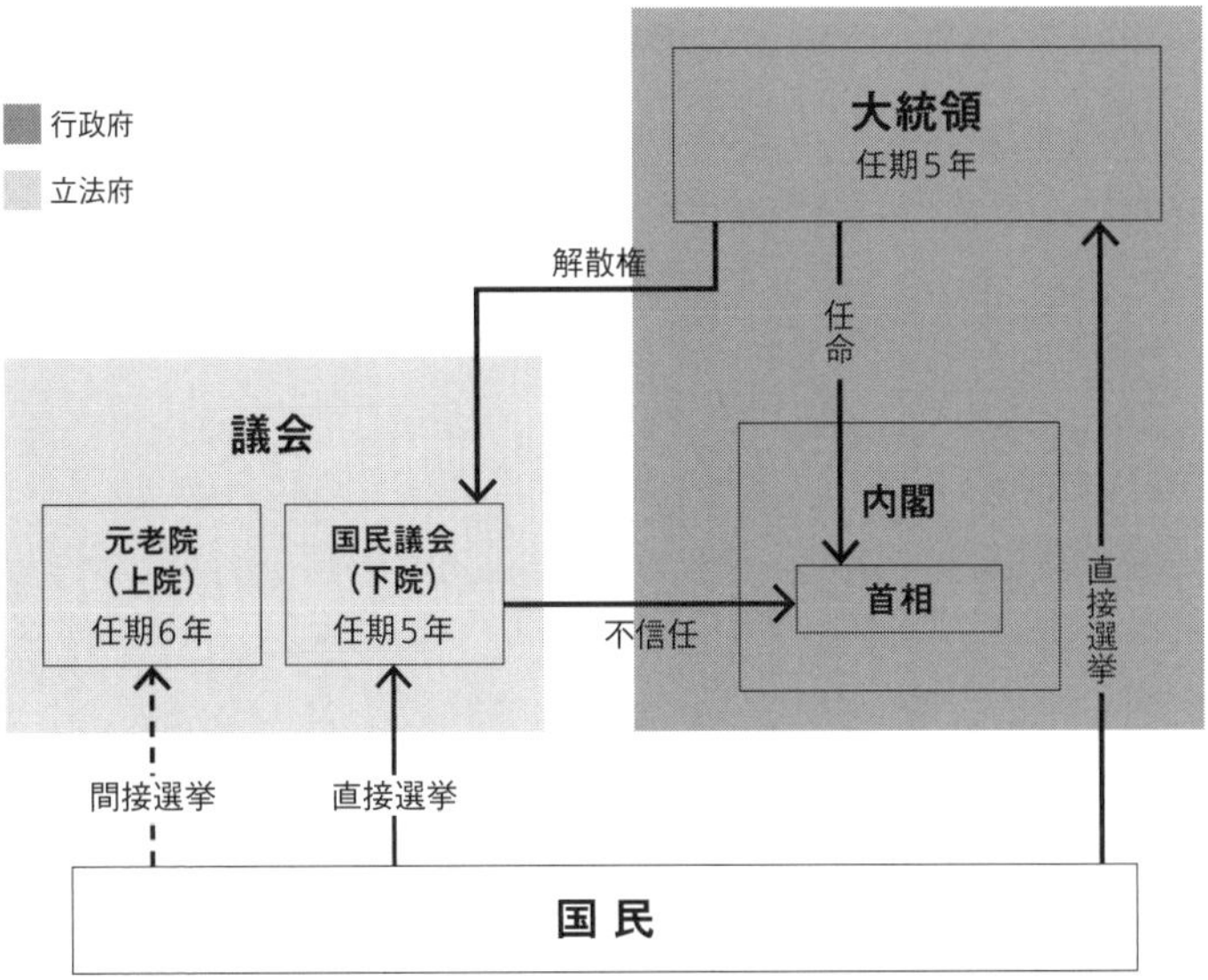

ばれ、国民議会議員は国民の直接選挙によって選ばれます。国民議会に優先権があり、元老院は主に諮問《しもん》機関の役割を担っています。

では、議会と大統領の関係はどうなっているかというと、大統領のほうが圧倒的に強い権限を持っています。大統領は、首相の任命、国民議会の解散、国民投票の発議（議会と有権者による共同発案も可能）、条約の締結、緊急時における必要な措置の実施（緊急権）などを行えます。

いつから、こういう政治制度になったのかというと、1958年に現在の憲法が公布され、第五共和政が発足した時からです。大統領をトップとする行政府が立法府（議会）に対して圧倒的な優位に立つことになり、憲法策定を主導したシャルル・ド・ゴールが大統領に就任しました（在任1959〜69年）。それから現在まで、第五共和政が続いています（左ページ図表⑤）。

――国民議会で大統領の政党とは違う政党が多数を占めている場合、大統領は、たとえ少数であっても自分と同じ政党の人物を首相に選ぶのですか？

そこは政治的に妥協して、議会の中で多数を占めている政党の中から首相を選びます。そうしないと、議会の承認が得られないでしょう。首相および内閣は国民議会からの信任を受けなければなりません。だから、大統領と首相が違う政党ということもありえるわけ

図表⑤―**フランス歴代大統領（第五共和政以降）**

｜出典：フランス大統領府

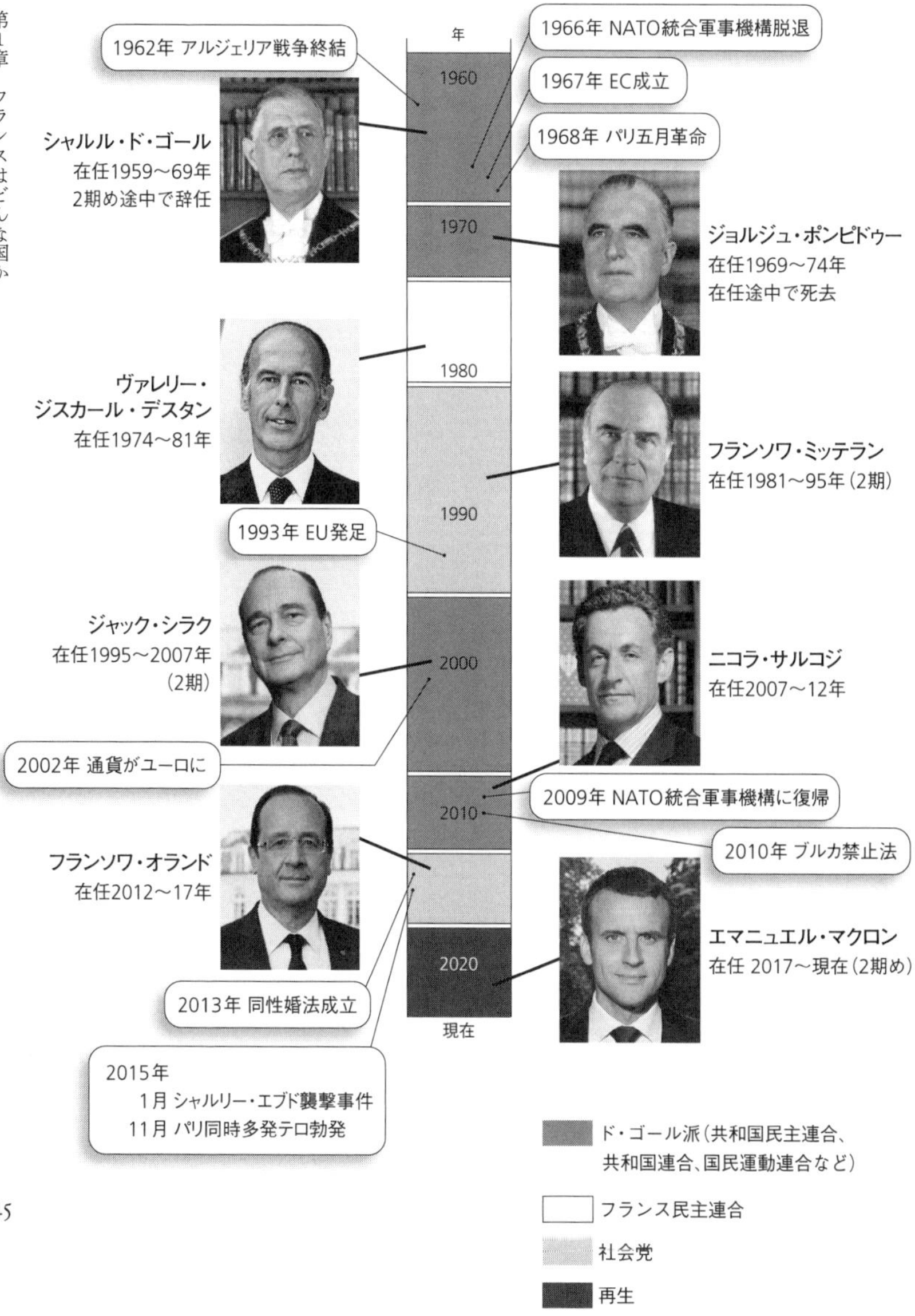
年
1960
1970
1980
1990
2000
2010
2020
現在
1962年 アルジェリア戦争終結
1966年 NATO統合軍事機構脱退
1967年 EC成立
1968年 パリ五月革命
シャルル・ド・ゴール
在任1959～69年
2期め途中で辞任
ジョルジュ・ポンピドゥー
在任1969～74年
在任途中で死去
ヴァレリー・
ジスカール・デスタン
在任1974～81年
フランソワ・ミッテラン
在任1981～95年（2期）
1993年 EU発足
ジャック・シラク
在任1995～2007年
（2期）
ニコラ・サルコジ
在任2007～12年
2002年 通貨がユーロに
2009年 NATO統合軍事機構に復帰
2010年 ブルカ禁止法
フランソワ・オランド
在任2012～17年
エマニュエル・マクロン
在任 2017～現在（2期め）
2013年 同性婚法成立
2015年
1月 シャルリー・エブド襲撃事件
11月 パリ同時多発テロ勃発
ド・ゴール派（共和国民主連合、
共和国連合、国民運動連合など）
フランス民主連合
社会党
再生

ですね。

――大統領と首相の政党が異なる場合、そのメリットとデメリットが知りたいです。

メリットという点でいえば、議員たちの中で多数派というのは、要するに、世論を象徴しているという考え方もできるよね。大統領に投票しなかった人たちもいっぱいいるわけでしょう。首相と大統領の所属政党が違うことによって、多様な世論を政治に反映させるという点がメリットだと思うわけ。

その一方でデメリットは当然あるよね。大統領の言うことを聞かない首相が出てくることもありえる。だけど、最終的には大統領がいつでも首相を辞めさせる力を持っているから、首相としても、自分たちの政党の考え方はあるけれども、大統領の命令も受け入れようという政治的な妥協が行われるでしょう。

政治的妥協というと、マイナスのイメージを持つかもしれませんが、これが民主主義なんだよね。成熟した民主主義っていうのはとにかく自分の主張を貫き通すのではなく、さまざまな政治的な主張をどうやってまとめていくのかということになる。つまり、フランスは、政治的に妥協し、ものごとを動かしていくという、成熟した民主主義が行われる要素があるということです。

ちなみに大統領と首相が両方いるといえば、韓国もそうだよね。韓国も大統領がいるけれど、首相もいる。韓国の場合も、大統領が首相を選ぶわけですが、議会の承認が必要になります。韓国は、フランスと似通った政治体制を取っているということですね。

一方、ドイツは、少し前まではメルケル前首相が有名だったでしょう。それに比べると、後任のオラフ・ショルツ首相は今のところ影が薄い。それにしても、ドイツの場合は首相のニュースばかり出ますが、実はドイツにも大統領がいます。ドイツの大統領は政治的な実権を持っていません。国家元首であり、国民統合の象徴ではあるのですが、政治的な力は一切持っていない。ドイツの大統領は、国民が選ぶのではなく、議会が選んでいるんですね。ドイツのように権力を持っていない大統領を選ぶ国には、イスラエル、インドなどがあります。

大統領も議員も、選挙に決選投票がある

Q フランスの大統領選挙に決選投票があることを知っていますか?

――はい、2022年の大統領選挙で、マクロン大統領とマリーヌ・ル・ペン候補が決選投票になったのを、ニュースで見ていたので。

そうですか。マクロン大統領(P48写真⑤)は2期めになりますが、大統領選挙で2回と

もル・ペン（左ページ写真⑥）候補と決選投票になりました。フランスの大統領選挙では、最初の選挙で過半数を獲得する候補者がいれば、すんなり大統領に選ばれますが、過半数を獲得できなかった場合は、上位2名で決選投票を行います。

――決選投票をするメリットはなんでしょう？

選挙で票が割れた場合、本当は大多数の人々が支持していない候補者が当選してしまう可能性があるよね。決選投票を行えば、必ず投票者の過半数を得た人が大統領になります。国民の大多数の支持を得て誕生した大統領だという権威を得られます。

これは議会選挙も同様です。国民議会の議員は、それぞれの選挙区からひとりだけ選ぶという、日本と同じ小選挙区制度を採用して

写真⑤―**エマニュエル・マクロン（1977年～）**
｜写真提供：フランス大統領府

フランス第26代大統領。パリ政治学院とパリ第10大学で学んだのち、国立行政学院（ENA）卒業というエリート育成コースを経て経済財務省に入局。4年間勤務したのち、ロスチャイルド銀行に勤務。2012年、共和国大統領府の事務次長、2014年から経済産業デジタル担当大臣を務めた。2016年に政治団体「共和国前進（現在は、「再生」に改称）」を立ち上げ党首に。2017年の大統領選挙に出馬し勝利。2022年4月、再選される。15歳の時に出会った25歳年上の教師ブリジットさんと2007年に結婚。

いますが、ここでも過半数を獲得する候補者がいなかった場合は決選投票をします。「小選挙区2回投票制」と呼ばれていますね。ただし、第2回投票が上位2名の一騎打ちになるとは限りません。大統領選と違って、下院選では第1回投票で12・5％以上の票を獲得した候補者が2回めの投票に進むことになっているので、3人以上の戦いになる可能性もあるわけです。極めて手間と費用がかかるわけですが、大統領も議員も、多数の支持を得て選ばれることにこだわっているのです。

大統領選挙で上位2名の決選投票になると、それ以外の候補者の支持者たちがどちらを選ぶのかが重要になるよね。今回も前回（2017年）も、決選投票は、中道派のマクロンと極右政党のマリーヌ・ル・ペンのふたり

写真⑥―**マリーヌ・ル・ペン（1968年〜）**｜画像提供：Le Tellec Step hane / ABACA / 共同通信イメージズ

フランスの政治家。反イスラム主義などの立場をとる。極右政党「国民戦線（FN）」元党首で政治家のジャン・マリ・ル・ペンの三女。18歳でFN党に入る。大学で法学を学び、98年に弁護士資格を取得。2011年FN党の党首に就任。数度の落選を経て国民議会の議員を務め、欧州議会議員なども経験。大統領選挙にも3度出馬し、2017年、22年には決戦投票に残るも、いずれもエマニュエル・マクロンに敗北。2018年、党名を国民連合（RN）に改称。22年、党首を退任した。

で行われました。すると、「マクロンのことを決して好きじゃないけど、ル・ペンが大統領になっちゃったら大変だ。ル・ペンを大統領にしないためにマクロンに投票しよう」と考えた人が多かったわけです。マクロン大統領の初めての大統領選挙の際には、ル・ペンを当選させないようにするために、「鼻をつまんでマクロンに投票しよう」なんていうスローガンも登場しました。

――過半数を取れなかったら決選投票をするとなると、選挙期間が長引きますよね。どのくらい選挙期間を取っているのですか。その間、政治の運営に支障が出ませんか？

大統領選挙の場合、2回めの決選投票は1回めの投票日から14日めに行われます。国民議会の決選投票は1回めの投票日から7日めです。確かに、再選挙をすると選挙期間が長引くし、効率が悪い印象を受けるよね。でも、フランスでは、選挙で人を選ぶのは手間暇かかるというのが常識になっています。

日本の場合、なんでも効率的に、とにかく早くなのですが、フランスでは時間をかけるのが当たり前。だから、それだけの時間をかけて選挙をする。結果が出るまでは現職が仕事をするから政治に空白は生じない、ということですね。

ちなみに、日本では選挙の投票用紙に候補者の名前を自分で書くでしょう。世界広しといえども、そうやって自分で候補者の名前を書いて投票するのは日本ぐらいのものなのです。世界には、読み書きできない人たちがいっぱいいるという国もあるので、投票用紙にあらかじめ候補者の名前が書いてあって、その中から誰かひとりに印をつけるのが一般的な投票方法になっています。

アメリカの大統領選挙は多くの州がマークシート方式を採用し、マーク欄を塗り潰すのですが、フランスの大統領選挙の場合は、まず、候補者ひとりずつの名前が書かれた投票用紙を候補者全員分取ります。投票ブースに入り、その中から自分が投票する人の名前が書かれた投票用紙を1枚選んで投票箱に入れるというやり方をしています（その他の投票用紙はゴミ箱に捨てる）。確かにこのほうが投票が簡単かもしれません。

マクロン大統領とファーストレディ

マクロン大統領といえば、奥さんとの年齢が離れていることで話題になりましたね。マクロン大統領の妻ブリジットさんは、フランス北部アミアンの私立校で教師として働いていた時、当時15歳のマクロン少年と出会いました。ブリジットさんはマクロンが所属する演劇部の顧問で、大人と対等に話せるくらい聡明だったマクロンと接しているうちに、ふたりは恋愛関係になってしまったというエピソードが伝わっています。マクロンと同じク

写真⑦—マクロン大統領とブリジット夫人｜写真提供:EPA＝時事

ラスにはブリジットさんの長女がいました。つまり、マクロンは同級生の母親のことが好きになってしまったわけです。

マクロンの両親はどうも息子にガールフレンドがいるらしいとわかり、クラスのあの女の子がガールフレンドかなと思っていたら、その母親と熱愛していることを知って驚きます。そんなことは認められない、とにかくこの町に置いておくわけにいかないと、息子をパリの学校に転校させたのですが、手紙のやりとりをしているうちにますます愛情が深まったといわれています。結局、ブリジットさんは離婚をして、マクロン大統領と結婚することになりました。結婚した時、マクロンは29歳、ブリジットさんは54歳でした。女性のほうがずいぶん年下というケースは結構ありますが、その逆は珍しいと注目されることになったのです。

今もふたりは、本当に仲がいいですね（右ページ写真⑦）。どこへ行くにも必ずブリジットさんがマクロン大統領に寄り添って、そこがまたマクロン大統領の人気のあるところだということですね。ちなみにブリジットさんの実家は製菓業を営んでいて、そのいちばんの売りがマカロンだと（笑）。これは本当の話なのですが余談でしたね（笑）。

ブリジットさんには、マクロンと同級生の娘を含めて3人の子どもがいました。だから、マクロン大統領には3人の義理の子どもがいて、さらに7人の孫がいる。そして、義理の娘になった同級生の女性は、今やマクロン大統領の熱心な支持者のひとりになっているそうです。

第2章
ストライキと革命から見るフランス

ストライキが多いのはなぜか

フランスはストライキの多い国です。私の経験でいえば、フランスでいろいろな取材計画を立てていても、公共交通機関がストライキで止まることは日常茶飯事。パリの地下鉄に乗ろうとしたら、突然「今日はストライキで動きません」ということがしょっちゅうあります。エールフランスで日本へ帰る予定だったのに、前日になって「明日はストライキで欠航します」なんていうことも起こるんですね。

ストライキをするのは、交通機関だけではありません。医者も教師も公務員も民間労働者も、みんなストライキをします。

フランスの人たちは慣れっこになっているのか、平然としています。不満に思う人もいるのでしょうが、「ストライキは労働者の権利だから」と考えるようで、批判が高まることにはならないのです。彼らには彼らの権利がある、と冷静に見ているのです。

今、日本で公共交通機関のストライキはほとんどありませんが、1960年代から70年代には頻繁にストライキをやっていたんです。毎年、春闘の時期に賃上げや労働条件の改善を要求して、公共交通機関がストライキをするのが恒例でした。当時の学生は、ストライキがあれば学校が休みになるため、前の日から気になってニュースをチェックしていました。しかし、会社員はストライキになると会社へ行けなくなってしまう。だから、前日から会社に泊まり込む人も多く、貸布団店が繁盛しました。日本の会社員は昔から本当に真面目だよね。

では、フランスは今もしょっちゅうストライキをやっている珍しい国かというと、そうでもありません。世界的に見れば、イギリスもストライキが多いし、アメリカでも増えています。アメリカでは、2022年に30年ぶりとなる大規模な鉄道ストが行われるところでしたが、連邦議会が介入して、鉄道ストを阻止する法案を成立させて回避しました。交通機関以外では、2023年7月に全米俳優組合が、9月には全米自動車労働組合がストライキを決行したことがニュースになりましたね。

――日本ではなぜストライキをやらなくなったのですか？

日本の労働組合は、企業別労働組合なのが特徴です。欧米においては産業別労働組合になっています。たとえば、自動車産業の労働組合だと、自動車産業全体で働いている人たちの給料を引き上げろと主張するから、ストライキがやりやすいのです。

ところが、日本の場合は企業別の労働組合だから、日産自動車の労働組合がストライキをして日産自動車の生産が止まると、その分、トヨタの自動車がたくさん売れるようになるんじゃないかということになる。結局、ストライキをすると同業他社の利益につながることになり、ストライキをやめようという方向になっていったのです。企業別労働組合だと、結局は自分たちのいる会社のことを中心に考える。労働者全体のことを考えなくなるということがあります。これも日本でストライキが減った理由のひとつです。

ただ、最近、日本でもデパートの統廃合が行われる中で、デパートごとの労働組合ではなく、さまざまなデパートの労働組合が一緒になってみんなで闘おうという新しい動きが出てきています。

2023年8月には大手デパートのそごう・西武の売却をめぐり、労働組合がストライキを実施したことが話題になりましたね。これはデパート業界では61年ぶりのストライキということでしたから、最近の日本ではとても珍しい出来事となったわけです。

それと、ストライキがなくなった原因として、あとで出てきますけど、学生運動がものすごく過激になってしまった結果、労働組合がストライキをすること自体がまるで過激派がやっているというふうに思われて、なんとなくストライキに対する嫌悪感が広がっていったということがあるのかもしれません。

フランスでは、最近も大規模なデモやストライキが行われてニュースになっていますね。2023年に入ってから、年金の支給開始年齢を62歳から64歳に段階的に引き上げるという政府の年金制度改革案に反対して、100万人を超える大規模デモもありました。驚くのは、高校生が街頭に出て抗議行動をしていることです。自分たちの年金支給開始年齢が遅くなるのは嫌だと声を上げ、高校生がデモをするなんて日本ではちょっと考えられないでしょう。

――日本の若者が政治参加に消極的っていわれますけど、フランスと日本の若者の違いというのはどのようなところにあるのでしょうか？

これもまたよく聞かれる話だよね。特に海外から日本の高校に留学してくると、日本の高校生たちが政治の話をしないのでびっくりするといいますね。それこそ、君たちが考えるべきことじゃないかな。なんで日本の高校だと政治の話をしないのかな。政治の話をすると、いじられたりからかわれたりするから話さないほうがいい。社会全体にそういう感覚があるわけでしょう。

実は、私が高校生の時には、同級生たちと政治について話をしていました。あちこちの教室で、たとえば、ベトナム戦争についてどう思うかという話はごく普通に行われていましたね。学生運動が盛んだった頃、大学生だけでなく、高校生もストライキをして校内を封鎖したということが起きました。都立青山高等学校には機動隊が出て、立てこもっていた高校生たちを逮捕したなんていうことが起きていたのです。

ただ、逆に、それ以降、政治のことを話しちゃいけないという社会の空気みたいなものが出てきたり、子どもが過激なことをしたらいけないからと、親が政治のことは言わないようにしたりするようになりました。学校の先生たちも、政治の話をするのは教育の政治的中立性からいかがなものかと、政治の話をしないようになってしまった。それが全体として広がっているということですね。

付け加えておくと、１９６９年、文部省（現・文部科学省）は「高等学校における政治的教養と政治的活動について」という通知を出し、高校生の政治活動を実質的に禁止しました。しかし、２０１５年、選挙権が18歳から与えられることになったのに伴って、新たな通知を出し、限定的ではありますが、高校生の政治的活動を認めています。

フランスの若い人たちと話すと、何かあればすぐストライキをする、あるいは、街頭に出て抗議活動をするのは当然のことだと言います。その意識と行動の根幹には、市民が実力行使をして権利を獲得した「フランス革命」という歴史があるからだと思います。フランス革命によって世の中を変えることができたという誇りが、脈々と受け継がれているのです。では、そのフランス革命とはなんだったのか？　君たちは学校でこれから学ぶ、あるいはもう学んだかもしれませんが、フランス革命の背景にも注目しながら、革命の要点を見ていきましょう。

フランス革命の背景にカフェ文化と火山の噴火

フランス革命は、1789年に勃発した、ブルボン絶対王政を倒した市民革命です。その背景として、ふたつの要素に注目してほしいですね。ひとつは、「カフェ文化の広がり」です。パリに初めてカフェが誕生したのは17世紀後半ですが、当初は数も少なく、貴族や芸術家たちの社交場でした。やがて、あちこちでカフェが開かれるようになり、18世紀後半には、演劇関係者や作家・詩人、啓蒙思想家など知識人が集まるようになります。カフェには新聞や本が置かれており、当時は本が貴重で値段も高かったから、新聞や本を読みに知識人が集まるわけですね。

次第に、カフェは知識人同士が政治をめぐってさまざまな議論をする場になっていきました。今もパリには、フランス革命の時に活動家たちが議論をし、密議を凝らしていたというカフェが残っています。あちこちのカフェで政治について議論をしていたことが、革命の起きる背景としてかなりあったということですね。

もうひとつは「自然災害」です。フランス革命の6年前の1783年に、北欧のアイスランドのラキ火山が大噴火をしました。それで、大量の溶岩や火山灰が噴出し、ヨーロッパ全体を火山灰が覆いつくしたのです。当時、推定ですけど、大気中に1億2000万トンもの二酸化硫黄が放出されたといわれています。ヨーロッパ全域で有害物質を含んだ火山灰によって太陽光線がさえぎられる事態が数年続いたため、農作物が大きな被害を受け、そのあと何年にもわたって食料不足が続いたのです。

Qラキ火山の噴火と同じ年に、日本でも火山の大噴火がありました。それはどこでしょう？

――浅間山《あさまやま》ですか？

正解です。長野県と群馬県の境にある浅間山も同じ年に大噴火したんですね。群馬県吾妻郡嬬恋村《つまごいむら》鎌原《かんばら》地区（旧鎌原村）では、この時発生した火砕流によって、一村152戸が飲み込まれて483名が死亡しています（被害の数字は『群馬県吾妻郡誌』による）。日本でも、火山灰のせいで異常気象が続き、飢饉《ききん》が起きました。浅間山の噴火がフランス革命に影響があったかはわかりませんが、少なくともラキ火山と浅間山が同じ年に噴火したことで、世の中に大きな影響を与えたことは間違いないでしょう。

フランスでは食料不足になったことで、王妃マリー・アントワネット（1755～93年）が「パンがないならお菓子を食べればいいのに」と言ったという伝説が有名ですけど、この発言はマリー・アントワネットのものではありません。フランスの哲学者ジャン・ジャック・ルソー（1712～78年）の自伝的な作品『告白』の中に、農民たちがパンを食べられないと聞いたある王女が「ではブリオッシュ（パン菓子）を食べればいい」と答えたと書かれています。これが後年、マリー・アントワネットが言ったかのように広まったのではないかという説が有力ですが、このエピソード自体、ルソーの創作ではないかという意見もあります。そもそも、この作品以外では、この発言が記録されていないことなどがその理由です。

この伝説の影響から、王妃マリー・アントワネットの贅沢な暮らしと浪費が財政破綻を招き、フランス革命が起きたと思っている人もいるかもしれませんが、王妃の浪費だけが財政破綻の理由ではなく、国王夫妻の処刑で革命が終了したわけでもありません。実際のフランス革命は、もっと複雑で重層的な経緯をたどりました。

三つの身分の中にも貧富の差

Q 革命前のフランスは封建的な身分社会で、国民は三つの身分に分けられていましたが、わかりますか。

——第一身分が聖職者、第二身分が貴族、第三身分が平民です。

そうですね。平民が人口の9割以上を占めていましたが、少数の聖職者と貴族が広大な土地と重要官職を独占し、特権身分として税を免除されていたのです。

さらに、それぞれの身分の中にも格差がありました。聖職者には地位の上下関係があり、貴族には伝統的な宮廷貴族や地方の領主貴族とは別に、新たに貴族になる者が現れます。どういうことかというと、裕福な市民が官僚のポストをお金で買えば、貴族の地位も自動的に手に入ったのです。貴族の中には従来の封建制度に反対の者もいて、自由主義貴族と呼ばれました。

第三身分の平民の大部分は、税負担に苦しむ貧しい農民でしたが、商工業者たちは次第に富を蓄えて、いわゆるブルジョワジー（有産市民）になっていました。実力を備えた彼らは、自分たちへの扱いに不満を抱いていたのです。このように、旧制度（アンシャン・レジーム）の三つの身分の中でも上下関係や貧富の格差が生じていたわけです。

その頃（1788年）はとりわけ凶作で、パンの値上がりで民衆の不満が高まっていました。

また、当時のフランスの国家財政は破綻の際にありました。主な原因は、太陽王と呼ばれたルイ14世の頃から繰り返されてきた対外戦争やイギリスとの植民地争奪戦です。ルイ

16世になってからも、アメリカ独立戦争を支援したために出費がかさみ、財政破綻が決定的になります。ルイ16世は改革派の財務大臣を起用し、特権身分にも課税しようと試みますが、聖職者や貴族の抵抗にあい、1789年5月、身分別の議会である三部会を召集することになりました。ところが、採決方法をめぐって、聖職者と貴族は従来の一身分1票を主張し、平民はひとり1票という個別投票を譲りません。もし、一身分1票なら2対1で否決されることが明らかだからです。

議会は堂々めぐりを続け、三部会が機能しないと判断した第三身分の議員は、自分たちこそ真に国民を代表する「国民議会」であると宣言し、絶対王政を立憲君主政に変えるために憲法を制定することを掲げ、憲法制定までは解散しないことを誓いました（球戯場〔テニスコート〕の誓い）。すると、身分の低い聖職者や自由主義貴族の一部も同調したため、国王も認めるしかありませんでした。しかし、国王は保守的な貴族に詰め寄られ、武力で国民議会を押さえつけようとしました。さらにこれに反対した財務長官を解任してしまいます。

7月14日、この動きを知ったパリの民衆はバスティーユ牢獄を襲撃します。バスティーユ牢獄には武器・弾薬が保管されており、武器を手に入れて対抗しようとしたのです。一般に、フランス革命の始まりとされている事件です。この後、農村では権力を失った貴族領主が農民を襲うという噂が広がり、フランス全土で、農民が領主の館を襲う暴動が起きました。

立憲君主政から共和政へ

農民の暴動が広がるのを見て、都市部でも富裕層のブルジョワジーたちは「次は自分たちが襲われるのではないか」と危惧します。そこで、自由主義貴族と協力して旧体制の一掃を急ぎ、1789年8月に国民議会で「封建的特権の廃止」を決議しました。これによって身分による免税特権や領主の裁判権・貢租徴収権（税金を徴収する権利）などが廃止され、旧体制の身分制と領主制は撤廃されることになりました。この決議を受けて、議会で採択したのが有名な「人権宣言」です。人権宣言については、あとで詳しく見ることにしましょう。

国王ルイ16世は、国民議会の決議を認めようとしませんでした。すると、同年10月、パンの価格が高騰し、食料が不足したことに怒った数千人の女性たちがヴェルサイユ宮殿に押し入って迫ったため、国王は議会の決定を受諾しました。

ひとまず政情が安定したかに見えましたが、1791年、国王一家が王妃マリー・アントワネットの実家のオーストリアに逃げようとして失敗する事件が起きます（ヴァレンヌ逃亡事件）。この事件の結果、国王は国民の信頼を失い、フランスは国王のいない共和政へ向かうことになるのです。

国王の逃亡事件から約2か月半後、一院制の立憲君主政を定めたフランス最初の憲法が発布され、目的を果たした国民議会は解散します。そして、新たな憲法のもとで新しい議員が選ばれました。一定の財産があって一定額の納税をしている人しか立候補も投票もできない制限選挙で、女性に参政権はありませんでしたが、新しい「立法議会」が開かれたのです。

新しい議会が始まると、この辺で革命を終わらせようとする立憲君主派(フイヤン派)と、さらに革命を進めて共和政を目指す共和派（ジロンド派）が対立します。この頃、国王を救援しようとする反革命のヨーロッパ諸国の圧力が増したため、革命の邪魔をする外国勢力との戦争を主張するジロンド派が優勢になり、政権を握ります。フランスは、反革命のオーストリアに宣戦しましたが、軍隊の士官クラスはすでに辞めるか国外に逃亡しており、まとまりのない軍隊はとても戦える態勢ではありませんでした。

1792年、オーストリア・プロイセン連合国がフランスに迫っていることを知らされます。祖国の危機を感じた民衆が全国各地で義勇軍をつくり、パリの民衆と共に国王のいるテュイルリー宮殿を制圧して王権を停止しました（8月10日事件）。現在のフランス国歌「ラ・マルセイエーズ」は、この時マルセイユから来た義勇軍が歌った軍歌に由来します。その後、国民軍はオーストリア・プロイセン連合軍に勝利。同年9月、新たに男性だけの普通選挙が行われて「国民公会」が成立し、王政の廃止を決定して共和政が開始されました（第一共和政）。

恐怖政治と革命の終了

国民公会では穏健な共和派（ジロンド派）に代わって、革命の徹底を主張する急進共和派（ジャコバン派）が力を増していきます。ジャコバン派はまた「山岳派」ともいいます。これは、議場の高いところに席があったからです。山岳派の指導者が恐怖政治を行ったことで有名です。誰だかわかりますよね。

――**ロベスピエールです。**

はい、そうですね。教科書にも出てくるマクシミリアン・ロベスピエール（１７５８〜９４年）。反革命派に対する厳しい取り締まりを行い、約１年続いた恐怖政治の間に約３万８０００人が処刑されたといいます。

ルイ16世は１７９３年１月に、その９か月後にマリー・アントワネットもギロチン（断頭台）にかけられました。国王の処刑は、周辺諸国に衝撃を与えます。革命が自国に波及

図表⑥—**フランス革命の成り行き**

王政（ブルボン王朝）

三部会

1789年 **5月5日** ルイ16世による財政改革を審議するために、174年ぶりに三部会が召集される

国民議会

6月17日 第三身分の議員による「国民議会」宣言

6月20日 憲法制定まで解散しないと誓い合う（「球戯場（テニスコート）の誓い」）
⇨ 国王が認めるも、その後弾圧しようとする

7月14日 国王に反発するパリの民衆が、バスティーユ牢獄を襲撃

8月4日 「封建的特権」の廃止

8月26日 国民議会が「人権宣言」を採択

1791年 **6月20日** 国王一家、ヴァレンヌ逃亡事件

9月3日 憲法発布

立法議会

10月1日 立法議会が成立

1792年 **3月23日** ジロンド派内閣成立

4月20日 国王の味方をするオーストリアに宣戦布告

8月10日 8月10日事件。王権停止

9月20日 フランス革命軍勝利

フランス各地から義勇軍が集結

共和政

国民公会

9月21日 国民公会召集 王政廃止と共和政宣言（第一共和政）

1793年 **1月21日** ルイ16世処刑

2月13日 対仏大同盟結成

6月2日 ジャコバン派、ジロンド派を追放（ロベスピエールの独裁政治始まる）

1794年 **7月27日** テルミドール9日のクーデタ
⇨ ロベスピエール失脚、処刑

総裁政府

1795年 **10月27日** 総裁政府成立

ナポレオン登場

1799年 **11月9日** ブリュメール18日のクーデタ（総裁政府解体、統領政府へ）

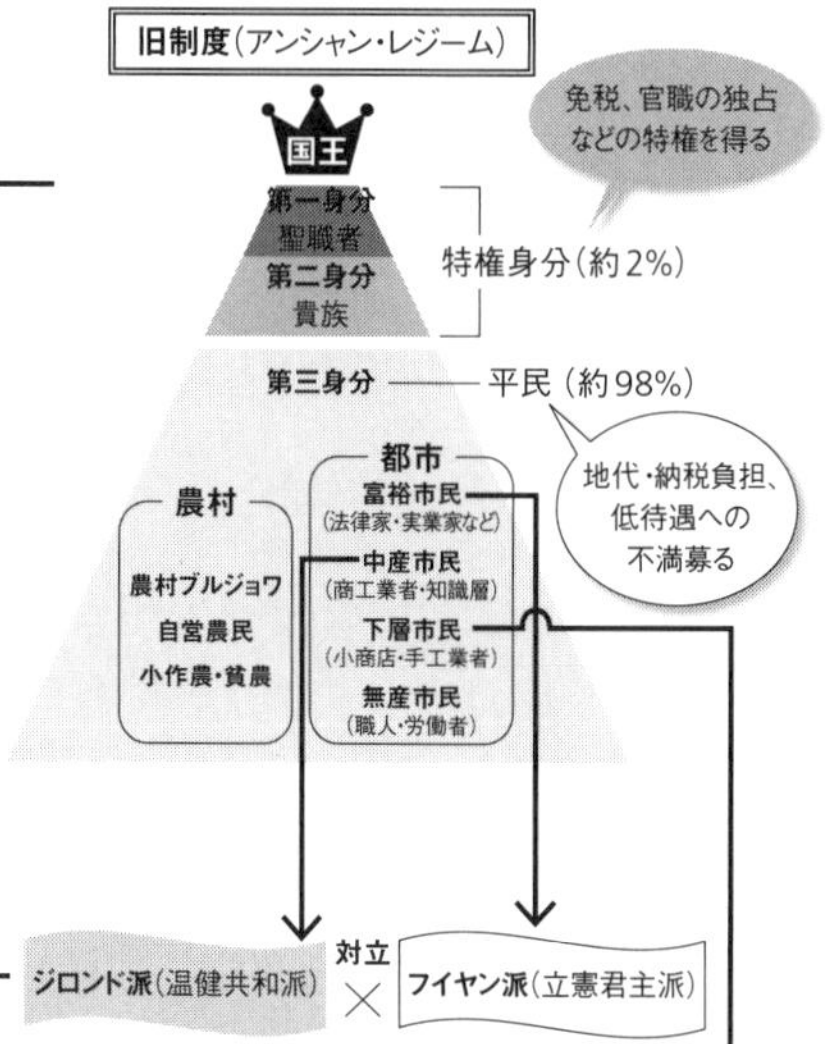

ラ・マルセイエーズ（フランス国歌）

いざ　祖国の子どもらよ
栄光の日が来た
暴君の血に染まった旗が
掲げられた
残忍な兵士たちの叫び声が
野に轟くのを聞け
我らの子や妻を殺そうと
彼らは迫り来る
武器を取れ市民よ　隊列を組め
進め　進め　我らの耕地を
敵の汚れた血で満たすまで

編集部による訳

ジャコバン派（急進共和派）

フランス革命終了

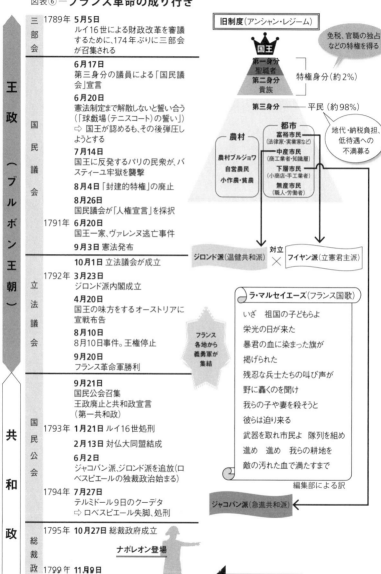

したら大変です。そうならないように、イギリスを中心とするフランス包囲の大同盟が結成されました（第1回対仏大同盟）。この対仏大同盟との戦いではフランス軍が奮闘し、外部勢力を撃退します。

対外的な危機がひとまず去ると、急進的な独裁政府への不満が高まり、穏健共和派などによるクーデタ（テルミドール9日のクーデタ）でロベスピエールは捕らえられ、ギロチンにかけられました。その後は、穏健共和派によって5人の総裁からなる「総裁政府」が成立しました。しかし、王党派や左派による不穏な動きが続き、そこで頭角を現したのが、軍人のナポレオン・ボナパルト（1769〜1821年）です。

ナポレオンはイタリア遠征でオーストリアを破り、敵国イギリスのインド支配を妨害するためにエジプト遠征を行い、名声を高めました。1799年に総裁政府を倒し、3人の統領からなる「統領政府」を成立させ、自ら第一統領になって実権を握りました（ブリュメール18日のクーデタ）。一般的に、1789年以来10年間に及んだフランス革命はここで終了したとされています。

さあ、どうですか？　絶対王政だった国がわずか10年の間に激変し、実にいろんな出来事が起きたでしょう（P69図表⑥）。そして、フランス革命は、現代にさまざまな教訓を残したのです。

「人権宣言」はどこが画期的だったのか

フランス革命が現代に残した最大のものは「人権宣言」でしょう。正式には「人間と市民の権利の宣言」といいます。基本的人権（すべての人間の自由・平等、言論の自由、私有財産の不可侵など）、主権在民、三権分立など、近代市民社会の基本原理が集中して示されています。前文と17条から成り、前文の一節を見るとこう言っています。「人の生まれながらにもつ、譲りわたすことのできない、そして神聖な諸権利を、厳正なる宣言で広く示すことを決議した」（『名古屋大学法政論集』２５５号 名古屋大学大学院法学研究科編 ２０１４「【資料】一七八九年フランス人権宣言試訳」石井三記 以下同）。

つまり、人は生まれながらにして人間としての権利を持っている、ということ。びっくりするのは１７８９年の段階で、この宣言を出していることです。日本はまだ江戸時代中期で松平定信《まつだいらさだのぶ》が寛政《かんせい》の改革をやっていた頃だよね。フランスでは、もう、すでに人権という思想があったわけですね。

第５条では、「法律が禁止できるのは、社会を害する行為だけである。およそ、法律によって禁止されてはいないことがらを妨げられることはできないし、逆に、法律によって命じられてはいないことがらを強制されることもできない」と言っている。つまり法律がなければ人の権利を妨げることができない、ということだよね。これもあの時代にすごいなと思うのです。それまでは絶対王政だったわけでしょう。国王が命じれば、なんでも自由にできたわけだよね。だけど、それではいけないのだと。誰でも必ず法律に従わなければいけない。これは民主主義における原理原則で、この時点でこのことが盛り込まれたのはとても画期的なことです。

第7条には、「法律が規定した手続きによってでしか、告訴、逮捕、または拘束されることはできない」と書いてあります。つまり、勝手に人を捕まえることはできないよ、といっています。

第9条には、「有罪と言い渡されるまでは、無罪と推定される」という推定無罪の考え方が記されています。逮捕されたとしても、裁判で有罪が確定するまでは無罪になるかもしれないから、人権を大切にしなければいけない。これは現代の人権問題に通じることになるわけで、本当に歴史的なことです。

あるいは、第11条にはこんなことが書かれています。「思想や意見の自由なコミュニケーションは、人の権利のなかでもっとも貴重なもののひとつである。ゆえに、市民はすべて、自由に話し、自由に書き、自由に印刷することができる。ただし、この自由を乱用したことについての責任は、法律の定める場合に、問われることになる」。言論の自由、表現の自由をこの時にはっきりと認めていますね。ただし、無条件に乱用はできないということも書いてあります。

さらに、第15条で「社会は、すべての官吏にたいし、その行政業務についての説明を求めることができる」とありますね。官吏とは役人のこと。役人には説明責任があることを、人権宣言で定めているのです。

日本では、第二次安倍政権の時に「森友・加計《かけ》問題」や「桜を見る会」の問題をめぐって、役人たちがやったことがよくわからなかったり、さまざまな文書が消えていったりということが起きました。一方で、２０２３年3月には、放送法の「政治的公平」の解釈をめぐる総務省の行政文書というのが出てきました。それを読むと、役人たちが安倍政権の放送局に対する圧力に抵抗していたのだということがわかります。役人たちが何をしていたのかをきちんと説明しなければいけないと、フランス革命の時にすでに宣言していることがいかにすごいことなのか、そして大切なことなのかということですね。

そして、フランスの人権宣言の精神が、第二次世界大戦が終わったあとの国連（国際連合）の「世界人権宣言」（１９４８年）にも受け継がれているわけです。世界人権宣言の第１条には「すべての人間は、生れながらにして自由であり、かつ、尊厳と権利とについて平等である。人間は、理性と良心とを授けられており、互いに同胞の精神をもって行動しなければならない」（国連広報センターＨＰ）と書いてあります。

フランス革命がどれだけ世界の人権問題について大きな影響を与えたのかということがわかりますね。

私たちは、今、さまざまな権利を認められています。それはフランスの人たちがフランス革命において実現したもので、今も遺産として残されているのだということ。これは、やっぱり、知っておかなければいけないし、だからこそ、フランスの人たちはそれに対する誇りを持っているのです。

ただし、もうひとつ知っておかなければいけないことは、フランス革命の歴史を学んでいくと、最初は市民たちが立ち上がって議会を召集するという穏健な手段で改革を進めていきました。だけど、途中からどんどん暴走していくでしょう。急進的に革命を進めようとしたロベスピエールによる暴走へつながるわけだよね。ギロチンによって国王夫妻をはじめ、多くの人が次々に首を斬られ、ついにはロベスピエール自身もギロチンの犠牲になってしまった。結局、大混乱の中からナポレオンが出てきて皇帝になり、独裁政治を始めてしまうことになるのです。

つまり、革命というのは画期的なものではあるけれど行きすぎることがある、ということとですね。革命によって世の中を大きく変えようとしたら、途中から暴走して、本来願っていたものと違う結果になってしまうことがあるという教訓です。

ロシア革命（１９１７年）もそうだよね。ロシア革命も、最初の段階ではとにかく帝政ロシアの独裁者に対抗して市民の権利を守るという議会ができました。もし議会がそのまま続いていれば、ロシアという国は非常に穏健な国になったかもしれない。しかし、この革命がウラジーミル・レーニン率いる労働者や兵士によって暴力革命に発展し、皇帝一家が虐殺されてしまった。それによってソビエトという国ができ、のちにヨシフ・スターリンという独裁者によって、何百万人もの国民が殺されてしまうという、悪夢のような事態が生まれてしまったわけです。

私たちも、社会状況の変化の中で、いろんな改革をしなければならない。政治をどうするのかという時に、フランス革命から学べることが実はいろいろあるのだろうと思うのです。

パリ・コミューンに影響を受けたマルクス

フランス革命は、人々が立ち上がれば世の中を動かすことができる、というフランス人にとっての大きな成功体験になりました。それがやがて、1871年に「パリ・コミューン」というかたちでまた噴き出すことになります。ナポレオン後の歴史をたどりながら説明しましょう。

ナポレオンは1804年、国民投票で圧倒的支持を受けて皇帝に即位し、ナポレオン1世として帝政を開始します。この第一帝政のもとで、革命の理念をヨーロッパに広げると言って戦争を始めますが、実際には侵略戦争でした（地図③）。当初はヨーロッパ大陸をほぼ支配下に置く勢いでしたが、1812年のモスクワ遠征の失敗を境に敗北を重ねて失脚。最終的に、ナポレオンは南大西洋のセントヘレナ島に流されて生涯を閉じます。

ナポレオン失脚後、フランスでは王政が復

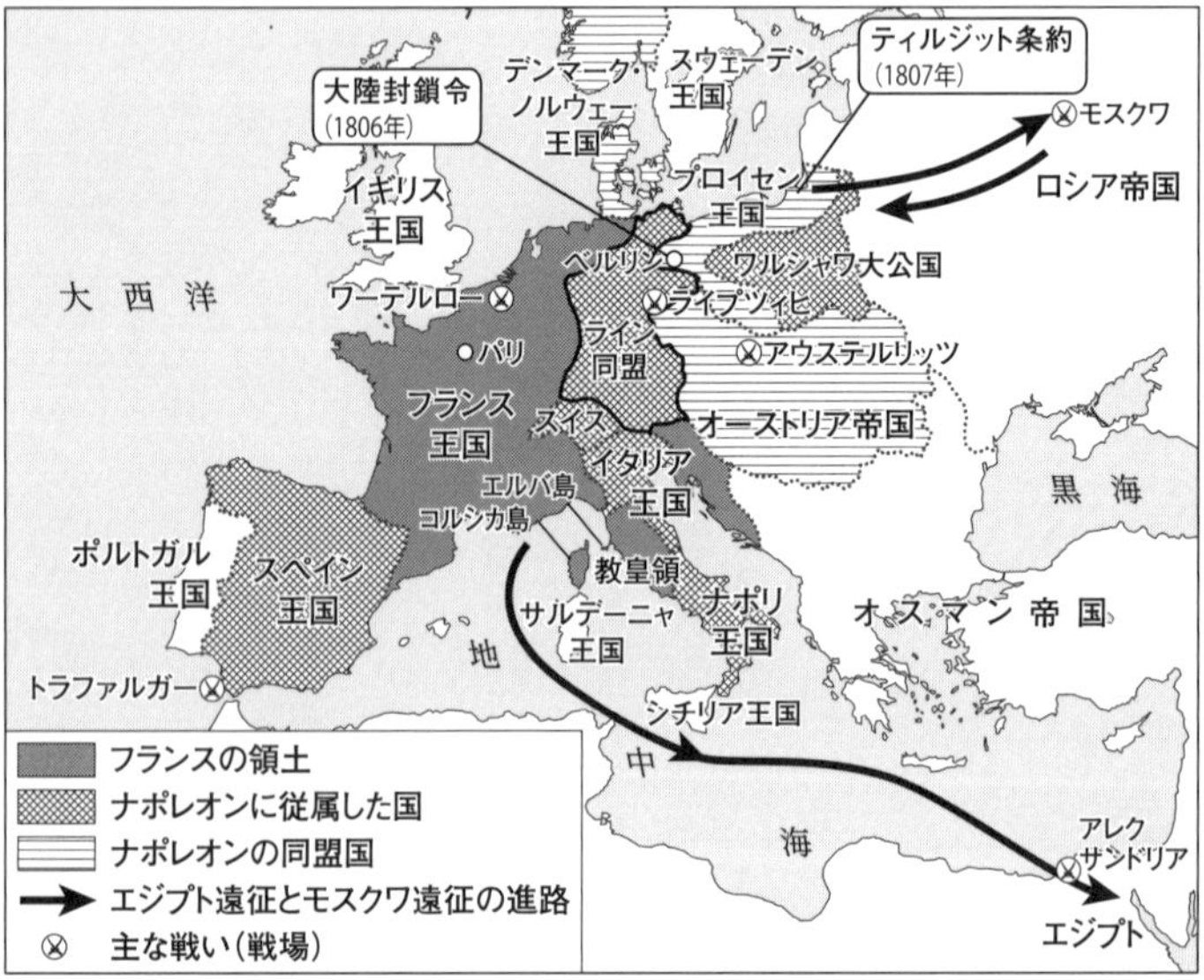

地図③—ナポレオン侵略戦争地図（1812年まで）

活し、周辺各国もフランス革命以前の状態へ戻ろうとします。各国の絶対君主が同盟を結び、自由主義と国民主義（ナショナリズム）の運動を抑え、「ウィーン体制」と呼ばれる保守反動体制が19世紀前半まで続きました。しかし、自由主義的改革を求める動きは収まらず、フランスでは1848年2月に王政が倒れて第二共和政が成立し、同年末の大統領選挙でナポレオン1世の甥にあたるルイ・ナポレオンが当選。彼は51年にクーデタを起こして共和派を追放し、国民投票で皇帝となってナポレオン3世として即位しました（第二帝政）（図表⑦）。

ナポレオン3世は、国民の人気を維持するために対外戦争を連続して行いましたが、プロイセン・フランス（普仏）戦争に敗れると

図表⑦—**近現代のフランス政体の変遷**

		終焉のきっかけ
～1792年	絶対王政(ブルボン朝)	フランス革命
1792～1804年	第一共和政	ナポレオン実権掌握
1804～14年	第一帝政	ナポレオン失脚
1814～30年	復古王政(ブルボン朝)	七月革命
1830～48年	七月王政(オルレアン朝)	二月革命
1848～52年	第二共和政	ルイ・ナポレオン実権掌握
1852～70年	第二帝政	ナポレオン3世失脚
1870～1940年	第三共和政	ドイツのパリ占領
	ヴィシー政府（1940～44年）	
	臨時政府（1944～46年）	
1946～58年	第四共和政	アルジェリアのクーデタ
1958～現在	第五共和政	

退位に追い込まれます。すると、屈辱的な講和条約に反発したパリの市民たちが蜂起して自治政府を成立させたんですね。これを「パリ・コミューン」といいます。労働者などの民衆が中心となって政権を樹立したのは世界史上初の出来事でした。ただし、この自治政権は長続きしませんでした。ブルジョワジー勢力に支持された共和政府（第三共和政）に潰されてしまったのです。

Qこの時、パリ・コミューンに注目したプロイセン出身の経済学者がいます。誰だかわかりますか。

――カール・マルクス？

正解です。共産主義を提唱したカール・マルクス（1818〜83年）が、パリ・コミューンの一部始終を興味深く見ていたんですね。そして、パリ・コミューンについての見解を示した『フランスの内乱』という著作を刊行しました。

資本主義がいかに非人間的なものなのか、これをなんとしてもひっくり返さなければいけない。しかし、ひっくり返してどんな社会をつくるべきなのか？　そのヒントをマルクスはパリ・コミューンに見出したのです。市民たち、労働者たちによる極めて民主的な政権が一時的ではあったけれど成立した。このコミューンこそが理想の社会になるのではな

図表⑧—フランス共産主義運動の展開と影響

マルクス
(1818～83年)

1848年 フランスで二月革命
同時期に『共産党宣言』刊行
プロイセンの三月革命に参加→イギリスへ亡命

設立

1864年 国際的共産主義運動組織「第一インターナショナル」(拠点ロンドン)

1871年 パリ・コミューン樹立
触発されたマルクスは『フランスの内乱』を執筆・刊行。
マルクス流共産主義の原点となる

エンゲルスらマルクス派が主導

1889年「第二インターナショナル」(拠点パリ)
1905年 フランス社会党結成
1920年 フランス共産党創立

フランスが共産(社会)主義の拠点となる

その後、共産(社会)主義の中心はソ連へ

影響　　参加　　影響

鄧小平
(1904～97年)
中国の政治家。1920年フランスへ留学。在仏中に中国共産党に入党。帰国後、党の要職を歴任するが、文化大革命で失脚。毛沢東の死後に復活し、実質的な中国の政治トップに。改革開放路線を推進。89年の天安門事件では民主化運動を弾圧した。

ホー・チ・ミン
(1890～1969年)
ベトナムの政治家。民族解放運動に従事し、フランス共産党の創立にも参加。1930年ベトナム共産党（ベトナム労働党）を結成。太平洋戦争中にベトナム独立同盟（ベトミン）を樹立。45年ベトナム民主共和国の独立を宣言。インドシナ戦争、ベトナム戦争を指導した。

ポル・ポト
(1925～98年)
カンボジアの政治家。1949年パリに留学、共産主義者となる。60年カンボジア共産党創設に参加、のちに書記長に。76年、民主カンボジアの首相に就任。恐怖政治で国民を弾圧し、約120万人の国民が死亡した。79年ベトナム軍の侵攻により政権崩壊。

画像提供：Rue des Archive / PPS通信社（マルクス）、Black Star Dennis Brack / PPS通信社（鄧小平）、World History Archive ／ニューズコム／共同通信イメージズ（ホー・チ・ミン）、共同（ポル・ポト）

いか。いわゆるマルクス流の共産主義（コミュニズム）は、パリ・コミューンに触発されて発展したのです。

また、人権思想がいち早く確立したフランスは、20世紀前半から中盤にかけて、共産主義運動の拠点となりました（P79図表⑧）。そのため、アジア各地から若者がフランスに渡り、共産主義に傾倒して帰国し、自国の共産主義化を進めるというケースがしばしば見られました。フランスは「世界の共産主義のゆりかご」と言われたのです。

たとえば、毛沢東《もうたくとう》によって大混乱になった中国を立て直した鄧小平《とうしょうへい》（１９０４〜９７年）。実は鄧小平ってフランスに留学していたことがあって、パリで苦学しながら共産主義思想に染まって帰国しました。そのあと、中国革命の革命家になっていったのですね。あるいは、ベトナムの独立運動の指導者ホー・チ・ミン（１８９０〜１９６９年）もそうです。フランスの植民地だったベトナム（当時はフランス領インドシナ）で生まれ、フランス船の見習いコックとしてフランスに渡ります。パリでマルクス主義のグループに加わって、フランス共産党の創立大会（１９２０年）に参加しています。共産主義者になってベトナムに戻り、独立運動を始めたというわけです。

また、カンボジアの独裁者だったポル・ポト（１９２５〜９８年）もパリに留学をし、筋金入りの共産主義者になって自国に戻っていきました。彼の場合、極端な共産主義を導入して約１２０万人の国民を死に追いやるという負の結果になってしまいましたが。

ちなみに、フランス共産党は１９７０年代までは力を保持しましたが、その後は長期低落傾向にあります。１９９１年にソ連が崩壊したあと、世界中で共産党と名乗っていた政党が次々に消えてしまったり、名前を変えたりしました。今でも主要先進国で共産党という名前を残して国会で議席を持っているのは、フランス共産党と日本共産党ぐらいになっています。

大学生が主導した１９６８年の「五月革命」

さあ、そして、何かあったら立ち上がって自分たちの権利を守るという大衆のエネルギーが、１９６８年の「五月革命」でまたもや噴き出すことになります。五月革命の写真を見てください（P82写真⑧）。パリの学生たちが腕を組んでデモ行進しています。

実は、この頃、ちょうど日本でも「学生運動」と呼ばれる大学生の抗議活動が大きく盛り上がったのです。フランスの五月革命と日本の学生運動の大暴発というのかな、その原因は共通したところがあるんですね。フランスにおいても日本においても、１９６０年代から高度経済成長の時期に入ったでしょう。第二次世界大戦後の苦しい時代からフランスも日本も立ち上がり、経済が急激に成長していく。結果的に、格差が広がるわけですね。成功してものすごく金持ちになる人がいる一方で、とても貧しいままの人もいる。

また、豊かになってきたことによって大学進学率が高まりました。大学生が増えて、大学が次々に新設される。すると、大学教育が十分行われないケースも出てきます。定員の何倍も入れるような大学が出てきて、学生たちは大学のあり方に不満を持ちます。さらに、格差が広がっていることに対して、なんとかしなければいけないという正義感も加わり、

写真⑧—1968年の五月革命はパリの学生たちの反体制運動に端を発し、労働運動と結びついて激しい闘争となった｜写真提供：Bridgeman Images / PPS通信社

学生たちが、教育の改革、あるいは、社会体制を変えようと立ち上がったのです。

ちょうどその頃はベトナム戦争（１９５４～７５年）のさなかでした。当時ベトナムは南北に分かれて、南ベトナムにアメリカ軍が最大50万人の軍隊を送り込み、北ベトナムに対する爆撃を繰り返していました。ベトナムはフランスの植民地だったから、フランスの人たちにしてみれば、とりわけ、ベトナムへの思いは強いわけだよね。アメリカ軍によって大勢のベトナム人が殺されていることに対する同情心もあって、反米のベトナム戦争反対、あるいは、それに協力する当時のド・ゴール大統領に反対というかたちで学生運動が盛り上がったのです。同じことが日本でも起きたわけですね。

パリの場合は、セーヌ川左岸のカルチェ・ラタンという学生街が学生運動の中心地になりました。ここで大勢の大学生たちが警官隊と激しく衝突をします。投石をしたり、乱闘になったり、手製の火炎瓶をつくって投げたりするということをしたわけですね。

その頃日本では、東京の神田近辺にある明治大学、中央大学、日本大学の学生たちが機動隊・警官隊と激しく衝突していました。当時、中央大学は八王子に移転する前で、まだ神田にありましたからね。「神田を日本のカルチェ・ラタンにせよ」というスローガンも掲げられていました。とにかく毎日のように神田で衝突が起きていました。神田にある大学だけでなく、東京大学をはじめ日本中の大学が次々にストライキに入っていきましたが、日本の学生運動は次第に過激化していきます。

そして、アメリカでもほぼ同時期に学生運動が大変盛り上がります。アメリカでも、あちこちの大学でストライキに入るということが起きていました。当時のアメリカの大学でどんなことが起きていたかは、『いちご白書』（１９７０年公開）という映画によく描かれています。それが日本のフォーク・デュオが歌ってヒットした、「『いちご白書』をもう一度」という曲の題材にもなっていますけど、ベトナム反戦運動と結びついた学生運動が世界的な広がりを見せたのです。とりわけパリの五月革命が、世界の若者に大きな影響を与えました。

フランスでは、ド・ゴール体制に不満を持つ労働者や市民もデモを行うようになり、ド・ゴール大統領は議会を解散して総選挙を行うことを宣言。政府も労組に賃上げを約束するなど事態の収拾にあたり、６月にパリは平静を取り戻しました。ド・ゴールは、この五月革命によって権威が失墜し、翌年辞任しました。

五月革命によって女性の社会進出が進んだ

私は数年前にパリで、１９６８年の五月革命に参加した人にインタビューしたことがあります。そうしたら、ちょっとびっくりしました。フランスでは女性の権利がしっかり守られていて、女性の社会進出が進んでいるというイメージがあったのですが、五月革命の頃、そんなことはまったくなかったというのです。五月革命以前は、女性たちの地位が低くて、「女は家にいればいい」とか「女はよいお嫁さんになればいい」とかいう認識が一般的で、花嫁学校があちこちにあったそうです。

そんな時代に学生たちが立ち上がり、さまざまな社会改革を求める中で、男女平等という意識が急激に広がっていったのです。それまで女性たちはおしとやかでなければいけない、スカートをはかなければいけないといわれていたのが、この時に女性たちもパンツスタイルでジーンズなどをはくというファッションが生まれたというわけです。

写真（P82写真⑧）を見ると、女性がパンツスタイルだったり、男女が一緒に腕を組んだりしていますが、これも実は画期的なことだったというのです。それまでフランスは極めて保守的でしたが、女性の社会進出が大きく進んだ。パリの五月革命というのは、フランス社会を大きく変えることになったのですね。

――**五月革命後は、男女差別がすぐになくなったのですか？　人種差別はなかなかなくならないですよね。女性差別はどうなのかなと……。**

あなたの言うとおり、人種差別はなくならないよね。当たり前のことだけど、どこの国でも、違う民族がいて違う文化があれば、必ず人種差別があります。女性差別の意識も非常に長い間あったわけだよね。実際、フランスで女性解放運動が本格化したのは五月革命のあとです。だから五月革命が転機にはなったけれど、すぐに男女平等になったわけではないし、今も完全になったわけではない。だけど、それはいけないよねというのもまた世論の大勢を占めていて、女性差別に対する取り組みがずっと行われているということですね。

今、フランス語の表現も変わろうとしているでしょう。男性であることを前提にした職業の名称、たとえば「医師（docteur）」や「エンジニア（ingénieur）」は男性形しかありませんが、最後に「e」を付けて女性形にして使われるようになってきています。英語でいえば、昔は警察官を「ポリスマン（police man）」と言っていましたが、女性の警察官を考慮して「ポリスオフィサー（police officer）」に変わったでしょう。あるいは、会議の議長は「チェアマン（chairman）」ではなく「チェアパーソン（chairperson）」になりましたね。

日本語でも、以前は「看護婦」と言っていましたが、男性もいるから「看護師」と言うようになりました。男女関係ない呼び方にしようという動きは、まさに無意識のうちにある男女差別をなくしていこうという取り組みのひとつになっていますね。

――あの、なぜ日本では学生運動が過激化してしまって、フランスでは比較的穏やかな方向で

終わったのかというのがちょっと気になりました。

わかりました。まあ、パリの五月革命も結構激しくて、学生たちは過激なこともやりました。だけど、少なくとも日本のように殺し合いまでは発展しなかったということだよね。そこが大きな違い。日本の学生運動では、内ゲバと言いましたけど、組織内でのリンチや殺し合いが起きるようになってしまった。

フランスの学生たちは、同じようなことがフランス革命で起きてしまったことをおそらく学んでいたんじゃないかな。これは単なる私の推測ですが、これ以上やっちゃうと駄目になるということを学んでいたから、ブレーキがかかったのかもしれません。日本では、フランス革命のような経験がないから、残念ながら行きつくところまで行ってしまった。学生運動が過激化したかしないかは、その違いではないかと思っています。

――日本の学生運動は、1968年をピークに、2年間くらい激しかったのですよね。受験の期間はどうしていたのですか?

ああ、受験の期間ね。学生運動が激しくなって、東京大学は入学試験がなくなったよね。

――そうなんですか!?

もう昔のことなので、知られていないかな。私が高校3年の時です。受験勉強をしていたら、東京大学の安田講堂に機動隊が導入されて、激しい火炎瓶が飛んだ。それまで、ほぼ1年間ストライキをやっていたんだよね、東大は。ということは、ほぼ全員みんな残っているわけでしょう。そこに新入生を受け入れることができないとなって、入試が中止になっちゃいました。

さらにその直前、東京教育大学というのが当時文京区などにあって、東京教育大学の学生たちが筑波への移転に反対して1年間ストライキをしたわけね。とても新しい学生を入れることができないとなって、東京教育大学の入試も中止になりました。渋谷区にキャンパスがあった体育学部だけは入試があったのですが、それ以外は全部入試が中止。結局、東京教育大学は筑波に移転して、現在の筑波大学になったというわけですが。

まとめると、1969年、私が高校3年生の時に、東京教育大学と東京大学の入試が中止になりました。えらい迷惑を受けたということですね（笑）。

――フランスの学生運動とかストライキとか、そういった活動によって社会を変えることができるメリットはあると思います。逆にデメリットもあると思うのですが、そこのところはどう思われますか？

何か社会運動をしようとする時に、自分の犠牲なしに何かを成し遂げられるっていうことはありえないよね。必ずなんらかのデメリットはあるわけでしょう。

たとえば、スウェーデンの環境活動家のグレタ・トゥーンベリさんは、15歳の時に「気候変動のための学校ストライキ」というのを始めました。最初は毎日、その後は毎週金曜日に学校に行かないで座り込みをするわけだから、当たり前だけど、授業に出られないでしょう。自分の勉強が遅れるわけだよね。そういうデメリットを甘受しながら、でも、世の中を変えるためには、やらなければいけないと思うことをやっていくということだよね。

つまり、世の中を変えようとして行動を起こす時に、自分にとってのメリット、デメリットを考えていたら行動はできないということ。そんなことをすれば、自分の将来にとって不利益だと思ったら、街頭に出られないでしょう。とにかく社会を変えなければいけないから外に出ていくのか、あるいは、そこで自分のメリット、デメリットをつい考えてしまうのか。社会運動をするかどうかは、そこの決心の違いだと思いますね。

第3章
ライシテ（政教分離）から見るフランス

ライシテが認知された「スカーフ事件」

フランスについて考える上で、「ライシテ」（laïcité）という理念を知ることは非常に重要です。通常は「政教分離」と訳しますが、政治や公教育などが宗教から独立しているという意味がわかるように「非宗教性」と訳す場合もあります。政教分離なら、日本もそうだし、先進国はだいたい同じだろうと思っているかもしれませんが、フランスではそれが極めて徹底しているので、ほかの国の政教分離と区別し、そのままライシテという言葉で表現することが多くなってきています。とはいえ、ライシテという言葉を初めて聞いたという人が多いでしょう。実は、この言葉は１９５８年に制定された現行のフランス憲法の第１条に出てくるのです。

フランスは不可分で、非宗教的で、民主的で、社会的な共和国である。フランスは、出身、人種、また宗教による区別なしに、全ての市民に法のもとの平等を保障する。フランスは全ての信条を尊重する（傍線筆者、『フランス７つの謎』小田中直樹《おだなかなおき》 文春新書より）

線を引いた「非宗教的で」という部分が、原文のフランス語ではライシテに対応する形容詞「ライック」(laïque) になっています。憲法の最初で、ライシテがフランス共和国の基本原則のひとつであることを宣言しているわけです。政治と宗教は完全に分離をする。ライシテがフランスのフランスらしさなのだという理由を、一緒に学んでいきましょう。

フランスのライシテという理念が日本で知られるきっかけになったのは、1989年、パリ北部にあるクレイユという町の公立中学校で、秋の新学期にイスラム系の女子生徒がスカーフを被って登校したところ、校内に入ることを拒否された「スカーフ事件」です。なぜ、スカーフを被った女子生徒が学校に入れなかったのか? それは女子生徒が着用していたヒジャブ(ヘジャブ)というスカーフが、イスラム教のシンボルだったからです。

イスラム教の啓典『コーラン』は、預言者ムハンマド(570頃〜632年)に授けられたとされるアッラーの言葉をまとめた本ですが、その中に、女性の美しいところは隠しておけと書いてあります。どこを隠すかは国や地域の解釈によって異なりますが、髪の毛を隠すという点においては、世界中どこのイスラム教徒も一致しているのです。だから、女子生徒が被っていたヒジャブは明らかにイスラム教のシンボルで、ヒジャブを身に着けて校内に入ることは、宗教を公立学校に持ち込むことになるから認められない。フランスはライシテの国で、公的な施設等での宗教的行為は禁じられているのだから、ということだったのです。

この事件は、ヒジャブの着用を認めるか否かをめぐり、大きな論争になりました。フランス国内では、ライシテの原則を守った学校を支持する派と、信教の自由の権利を侵害したと学校を批判する派が対立します。

世論が二分して困ったフランス政府は、国務院に相談しました。国務院というのはフランス政府の諮問機関であり、行政裁判における最高裁判所の役割も持っています。国務院は、ヒジャブを被るのは思想信条の自由に含まれる権利だと認め、ただし宗教の勧誘や教育活動の妨げになったり、秩序を乱したりしてはいけない、という注文を付けた意見を政府に提出しました。

これを受けて、国民教育大臣は学校に国務院の意見に沿う通達を出しました。その結果、クレイユの中学校では、イスラム系の生徒が教室ではヒジャブを取ることで落着しました。ところが、これですっきり問題解決とはいかなかったのです。クレイユの「スカーフ事件」のあとも、同じような事件が続いて起こりました。校内でヒジャブを取ることを拒否した生徒を退学処分にするのかという問題も生じ、公立学校の校長先生は対応に悩みます。また、国務院も、ヒジャブの着用を理由とする退学処分について、認めたり認めなかったり判断がぶれて、公立学校の現場は混乱してしまいます。

結局、2004年に、当時のジャック・シラク大統領のもとで、公立の小中高等学校において、宗教的標章の着用を禁止する法律が制定されました。これ以降、公立の学校でヒジャブを被ることは違法になったのです（写真⑨）。

――「スカーフ事件」が次々と起こったのはイスラム系の移民の人が増えたからですか？

そうですね。第1章で移民の話を少ししましたが、現在のフランス移民は旧植民地だったアルジェリア、モロッコ、チュニジアの出身者が多いでしょう。これらの国々は、北アフリカの「マグレブ三国」と呼ばれるイスラム教の国々です。移民問題は、第4章で詳しく取り上げますが、フランスの公立の小中高校でイスラム系の人たちがどんどん増えてきました。「スカーフ事件」は起こるべくして起きた事件といえるでしょう。

写真⑨ 宗教的標章の着用は大学でも問題視された。ヒジャブを着けて校内に入ろうとしたところを大学関係者に止められる女子学生（2004年9月、リール近郊の公立大学にて）｜写真提供：AFP＝時事

通称「ブルカ禁止法」はどういう法律か

「スカーフ事件」の顚末《てんまつ》を聞くと、フランスはカトリックの国だから、そうやってイスラムを目の敵にしているのではないかと誤解しがちですが、そうではありません。たとえば、カトリックの人たちが祈りを唱える時に使うロザリオ、十字架が付いた数珠《じゅず》状の祈りの用具があるでしょう。あれを身に着けて公立学校に行くこともできません。「宗教的標章（シンボル）」とは、どの宗教・宗派を自分が信仰しているかを明確に示するし、と考えればいいでしょう。だから、ヒジャブと同じようにロザリオを持ち込むこともできないのです。

また、ユダヤ教の男性が頭に被るキッパという小さな丸い帽子風のものも、同様に公共の場で身に着けることはできません。あくまでライシテという原則のもとで、どの宗教の信者も守るべきものなのです。

ところが、2010年に、イスラム教徒を狙い撃ちにしたのではないかと論争になる法律が可決されます。通称「ブルカ禁止法」と呼ばれています。イスラム教徒の女性が身に着けるブルカやニカブを公共の施設等で着用することを禁じる法律です（左ページ図表⑨）。

図表⑨―ライシテの成立とブルカ禁止法の経緯

ライシテ(laïcité)

非宗教性という意味で、国家においては「政教分離の原則」を表している。この原則はフランス共和国憲法にも記されており、フランス国家の原理とされている。国家と宗教の分離、信教の自由は、王権とカトリックが密接な関係だった王政を打倒したフランス市民が勝ち得た権利といえる。

1905年
「教会と国家の分離に関する法律」が採択され、フランス国家はいかなる宗教・教派も公認せず、宗教的自由を保障すると定めた。すべての宗教は法の前に平等であり、信仰することの自由だけでなく、信仰しない自由も損なわれないことが約束された。

↓ **国家や公立学校の非宗教化が進む**

1989年
パリ郊外の公立中学校でイスラム教徒の女子生徒3人が頭を覆うスカーフ(ヒジャブ)を着用して登校。教師から外すように注意されるも従わなかったため、校内への立ち入りを拒否される。

↓ **国を二分する大論争へ**

教育を受ける権利と信仰の自由を侵害している!

ヒジャブは宗教表現だから、ライシテ違反だ!

1994年
国民教育相による「誇示的な宗教的標章の着用禁止」通達。

↓

2004年
教育法のライシテの章に、公立の小学校、中学校、高等学校で「生徒が宗教性を誇示する標章や服装を身に着けること」を禁じる法律が制定される。

↓

2010年
2010年、「公共の場所において顔のすべてを覆う服装を禁止する法案」が可決。通称、ブルカ禁止法と呼ばれる(2011年施行)。

ブルカというのは頭から足先まですっぽり覆って目のあたりだけが網状になっているマントのような衣服で、アフガニスタンに多く見られます（写真⑩左）。ニカブは顔を覆うものので、両目は露出しています。主に、中東の湾岸諸国やパキスタンなどで着用されています（写真⑩右）。

フランスの公共の施設等でブルカやニカブで顔を覆っていると、明らかにイスラムのシンボルを見せていることになる。だから、公共の施設等ではブルカやニカブの着用をやめなさいという理由であって、イスラムに対する差別ではない、というのがフランス政府の言い分でした。しかし、政教分離という建前で、イスラム系の人たちを牽制したとも考えられるのです。

写真⑩―ブルカ（左）とニカブ（右）｜写真提供：AFP＝時事（ブルカ）、Alamy / PPS通信社（ニカブ）

2001年9月11日、イスラム過激派組織アルカイダがアメリカで同時多発テロを起こしました。それ以降、ヨーロッパでも爆弾テロが続発していたのです。「ブルカ禁止法」は、当時のニコラ・サルコジ大統領のもとで制定された法律です。サルコジ大統領は移民への強硬な言動で保守層から支持を集めていました。ブルカのような全身を覆う服だと爆弾を隠しやすいし、本人確認をしにくいでしょう。だから、「ブルカ禁止法」はテロ対策ではないのか、あるいは、イスラム教徒への差別ではないのかと言われました。

国務院は、ブルカの着用を一律に禁止することは個人の自由を侵すことになりかねない、という見解を表明したのですが、サルコジ大統領は耳を貸すことなく、法律を制定させたのです。最近ではさらに、全身を覆う衣（アバヤなど）の着用も禁止すると政府が発表しました。

――イスラム教徒への差別だという議論があったことは理解できますが、そもそも女性にスカーフやベールを強制するのは男女差別だっていう議論はなかったのでしょうか？　ジェンダー平等が叫ばれているのに、そういう議論の話をあまり聞かないのですが……。

サルコジ大統領は、女性の人権擁護も法律をつくる理由のひとつに挙げましたが、大きな争点にはなりませんでした。女性差別という点でいえば、イランで、スカーフの強制をめぐって激しい抗議運動が起きましたね。

ヒジャブの強制をめぐるイランのデモ

イランの法律では、女性はヒジャブで髪の毛を覆い、体の線が出ないような長いゆったりした服を身に着けなければなりません。違反者を拘束する「道徳警察」というのがあって、道徳警察がいつも複数でパトロールをして、女性がちゃんと髪の毛を隠していないと、摘発してきたのです。

――知りませんでした。厳しすぎませんか？

イランでは、１９７９年にイラン・イスラム革命が起きて、イスラム原理主義勢力が政権を奪い、第1章に出てきた宗教指導者ホメイニ師を中心に、イスラムの教えを厳格に守る国になったんだよね。同じイスラム圏でも、教えに対して比較的自由な国もあるのですが、イランでは、9歳以上の女性は公の場所（家の外）でヒジャブを着用して髪を隠さなければならないと法律で決められているのです。

２０２２年9月、ヒジャブの被り方が十分ではないという女性が捕まって、警察で取り調べを受けているうちに死亡する事件が起きました。逮捕された際に警官が女性の頭を警棒で殴り、頭を警察車両に叩きつけたという情報があるのですが、警察は否定しています。

結局、真相ははっきりしていないのですが、「道徳警察に捕まった女性が殺された」ということになって、大がかりな抗議運動が起きたのです。

ヒジャブの着用は個人の自由に任せるべきである、国がヒジャブ着用を強制するのは人権に反するといって、ヒジャブを脱ぎ捨てて抗議する女性たちが続出し、彼女たちの動画が次々に拡散されました。つまり、女性の死をきっかけに、ヒジャブを女性にだけ強制するのは女性差別ではないかという意識が生まれつつある、ということですね。

この抗議デモは一時イラン全土に及ぶほどに発展し、ヒジャブの強制への不満から、次第にイラン政府に対する反体制デモに変化していきました。イランは核をめぐってアメリカから制裁を受けており、さらにロシアによるウクライナ侵攻もあって物価高や失業者が増加し、政府に対する不満がたまっていたからです。イラン政府は、一度は道徳警察の廃止を示唆したものの、結局は反政府運動は許さないという立場で弾圧をしています。

――女性はブルカやニカブを被って、家族以外には顔も隠すんですよね。じゃあ、顔を隠した女性と家族になるまで顔を見られないっていうことですか?

そうです。

――それって嫌じゃないですか。

はい(笑)、そうだよね。要するに、サウジアラビアなどでは、結婚相手は親同士で決めるんです。つまり、小さいうちから許嫁《いいなずけ》は決まっているのです。結婚の選択の自由がないわけ。だから、サウジアラビアにおいては、結婚して初めて奥さんの顔を見るという事態が起きます。私たちの感覚では考えられない話だと思うよね。だけど、サウジアラビアではずっとそういう状態が続いてきたわけです。

それでも、最近では、すれ違いざまにSNSのアドレスを交換し、ひそかに連絡を取り合って顔を見せ合い、恋愛が生まれるということが一部で起きているそうです。だけど、サウジアラビアはファストフードなどの飲食店でも男女が別の列に並ぶし、学校も男女別学だから、家族以外の男女の出会いの場っていうのはほとんどないわけだよね。そういうものだと思って育ってきているから、そもそも自分で相手を選ぼうという発想が生まれない。でも、今はインターネットで、世界からさまざまな情報が入ってくるから、「それはおかしいんじゃないか」という動きが出てきているところです。2019年には飲食店の男女別入口の設置義務が撤廃されました（店側の判断に委ねられる）。

ライシテの起源はフランス革命

政治と宗教は完全に分離をするというライシテ。それはもともとフランス革命から生まれました。フランス革命が起きる前の絶対王政の時代、第一身分だったカトリックの聖職者たちは政治や教育の場と深く結びつき、絶大な力を持っていました。聖職者の中から大臣になって政治的な権力を持つ者や、教師として宗教教育や道徳教育を行う者が出て、教会や修道院は広大な領地を所有していました。さらに、教会は農民から10分の1税を徴収し、巨額の収入を得ていたのです。10分の1税は、どんなものか知っているよね？

――中世ヨーロッパで、教会が農民から生産物の10分の1を徴収した制度です。

そうですね。最初の頃は、農民が村の教会を維持するために自発的に行っていたようですが、4世紀頃から義務的になり、中世には広く実施されていました。農民の生産物すべてにかかる税だから、たとえば、穀物、干し草、野菜、家畜、卵、牛乳、ぶどう酒、はちみつなどあらゆるものに及びます。当然、農民には重い負担になっていたわけだよね。

革命を推進した共和派にとってみれば、教会は絶対王政と深く結びついた敵であり、権力を奪わなければならない相手です。フランス革命が始まると、共和派と教会は激しく対立しました。フランス革命は、王政と深く結びついていたカトリックの勢力を一掃する戦いでもあったのです。

共和派が革命に勝利すると、国民議会は、聖職者と貴族の封建的特権の廃止を宣言し、教会への10分の1税もなくしました。すべての教会が国家に属することになり、教会の財産はすべて没収されました。カトリック教会の頂点に立つローマ教皇との関係も断絶します。革命の間に、多くの聖職者が処刑されたり、民衆に虐殺されたりしました。

それでも、生き残った教会勢力は反革命勢力と結びつき、教会と共和派の対立は革命後も続きました。ナポレオンが権力を握るとローマ教皇との関係は修復されて、カトリック教会が影響力を回復します。しかし、19世紀後半には政治や公教育から宗教を分離すべきだと主張する共和派や社会主義政党の勢いが勝り、1905年に「教会と国家の分離に関する法律」、通称「政教分離法」が制定されました。

聖職者の政治的な活動は禁止され、私的領域での信仰の自由は保障されました。この法律によって、フランス革命以来、共和派の悲願だった国家と宗教の分離、ライシテの原則が定まったのです。政教分離法の第1条、第2条は、次のような条文になっています。

第一条　共和国は良心の自由を保障する。共和国は、公共の秩序のために以下に定める制限のみを設けて、自由な礼拝の実践を保護する。

第二条　共和国はいかなる宗派も公認せず、俸給の支払い、補助金の交付を行なわない。

(『ライシテから読む現代フランス――政治と宗教のいま』伊達聖伸《だてきよのぶ》　岩波新書より)

――政教分離については第1条でなく、第2条に書いてあるんですね。

いいところに気づきましたね。政教分離の前に、良心の自由の保障と自由な礼拝の保護を挙げているのです。ここでしっかり理解しておきたいポイントがあります。政教分離の「政治の世界に宗教を持ち込んではいけない」ということの意味は理解されやすいのですが、「宗教に政治が介入してはいけない」ということの意味は日本人にはわかりにくいですね。

フランスの場合、私的な領域での宗教に対して政治が口を出すことは許されないということですね。だから、個人がどんな宗教を信じて礼拝するかは自由だし、公立の学校に宗教的な格好をして来ることはできませんが、私立の宗教学校ならかまわないわけです。政教分離には、「信教の自由を守る」という大事な目的があり、第1条の条文でそれが確認できますね。

フランスの「反セクト法」は宗教への介入か

――以前、フランスの「反セクト法」に関連して、旧統一教会（世界平和統一家庭連合）や創価学会などがフランスではカルトと認定されているというような話を聞いたことがあるん

ですけど、そういうのは、政治が宗教に介入しないという原則と反しているように思えるのですが、どうなんでしょうか？

はい、わかりました。すごくいい視点だよね。反セクト法というのは２００１年にできたフランスの法律で、セクトはカルトと同じ意味で使われます。反セクト法というのは通称で、正式名称の訳は「人権及び基本的自由の侵害をもたらすセクト的運動の防止及び取締りを強化するための２００１年6月12日法律２００１―５０４号」となります。とても長いのですが、この法律の趣旨そのものの説明になっています。

ライシテの原則に従って、宗教団体や宗教活動に関しては一切口出ししない、信教の自由は守る。だけど、それが犯罪に結びついたり、人権を侵害したりするカルト的な逸脱行為があれば、介入して処罰することを可能にする法律です。フランスの場合は、人権を守るという意識が強いからあえて宗教に介入することがありえるんだということですね。まあ、宗教に介入する場合の判断基準が非常に難しいわけですが。

たとえば、「エホバの証人」の場合、信者は宗教上の理由で輸血を受け入れません。自分の子どもが輸血をしなければ命が危ないという状態でも輸血をさせないことがある。結果として子どもが死んでしまうという場合があるので、客観的に見て、子どもの人権を守るためには介入せざるをえないんじゃないかというところですね。

ちなみに、東京大学の伊達聖伸教授によれば、フランスでは反セクト法ができる前の1996年に、危険なセクト団体を識別するための10の基準を議会調査委員会の報告書が示しました。それには精神状態を不安定にする、子どもを強制的に入信させる、法外な金銭要求をする、公共の秩序を乱す、公権力への浸透を企てる、などが含まれています。

また、同時にセクトに相当する173団体のリストが公表され、旧統一教会や創価学会なども入っていました。しかし、その後、リストをつくることは礼拝の自由を保障するライシテの原則に背く行為だし、リストにない団体は安全と思われる可能性があり、千変万化するセクトの適切な把握と迅速な対応に適さないとされて、現在は、少なくとも表向きにはリストは存在しません(「フランス反セクト法の現在　日本『直輸入』は難しいが…」中外日報ウェブ　2022年9月16日参照)。

日本では、これまで、宗教には触らないほうがいいとか、見て見ぬふりをするところがありましたが、旧統一教会の問題をきっかけに、フランスの「反セクト法」を参考にして日本でもカルト規制をすべきだ、という議論が起きてきています。

日本の政教分離と諸外国の比較

――日本も政教分離の政策を取っていますが、宗教団体が支援する政党や政治家が存在します。宗教と政治との関係は、どう整理されているのですか？

はい、日本の政教分離というと、よく話題になるのが、創価学会と公明党の関係だよね。日本の場合、政教分離を打ち出すことになったきっかけは、戦前、あるいは、戦争中の宗教弾圧に対する反省です。みんな国家神道を信じることを強制させられたでしょう。

国家神道を強制させられることに反発したキリスト教徒や仏教徒は次々に捕まりました。創価学会の前身の創価教育学会の人たちも捕まった。神道系で「世直し」を唱えた大本《おおもと》教の人たちも捕まって、獄中で亡くなった人もいます。そういった弾圧による犠牲があったわけだ。それで、国が特定の宗教を強制してはいけない、という反省から政教分離が実現したわけだよね。信教の自由と政教分離について日本国憲法第20条は次のように規定しています。

日本国憲法第20条

信教の自由は、何人に対してもこれを保障する。いかなる宗教団体も、国から特権を受け、又は政治上の権力を行使してはならない。何人も、宗教上の行為、祝典、儀式又は行事に参加することを強制されない。国及びその機関は、宗教教育その他いかなる宗教的活動もしてはならない。

政教分離を定めた非常に明確でわかりやすい条文ですね。でも、その一方で、宗教団体が政治活動をすることは、政治活動の自由として認められています。憲法第19条「思想及び良心の自由」、第21条「集会、結社及び表現の自由」に基づいて、個人の政治活動は原則として自由とされているのです。

日本国民であるなら、特定の宗教を信じていても、日本国民として政治活動の自由はあるわけでしょう。だから、創価学会の人たちが独自に政治活動をし、あるいは政党をつくるということは、政教分離に反しない。政府としてはこういう整理の仕方をしています。でも、もし公明党が政権を取って、日本国民は日蓮《にちれん》大聖人の仏法を信じなければならないと強制したり、関連する宗教施設に税金を投入したりすれば憲法違反になります。

諸外国の例を挙げると、ドイツの場合、メルケル前首相はキリスト教民主同盟のトップでした。ドイツにはキリスト教民主同盟という政党や、キリスト教社会同盟というキリスト教に基づいた地域政党があって、2党が統一会派を組んで政治を行っていたわけだよね。キリスト教の立場から政治をしましょうということだったけれども、だからといって、キリスト教の教会に国がなんらかの恩恵を与えることはしていません。政教分離という原則が、そういうかたちで整理されているということです。

――フランスの政教分離の原則であるライシテは、極めて徹底しているとのお話でしたが、具体的にほかの国の政教分離とどこが違うのか、もう少し知りたいです。

たとえば、アメリカでも基本的に政教分離の考え方はあるわけですが、少なくとも大統領の就任式典においては聖書に手を置いて、神に誓っているでしょう。公的な場で聖書が出てくるわけだよね。

あるいは、ドイツには「教会税」という税金があります。どういう税金かというと、キリスト教などの信者であると登録した人たちから、その教会を維持するための資金を国が代理徴収しているのです。そして、それを教会に配分するというやり方をとっています。ドイツも政教分離なのですが、教会を維持するために政府が協力しているわけですね。ドイツの憲法では、国家と教会が一定の協力関係を持つことを保障しています。

ドイツのほかに、スイス、オーストリア、フィンランド、スウェーデンなどにも教会税があります。だけど、フランスはそんなことはしません。政教分離法で、教会は国の特別な保護を受けないことが定められています。本当に徹底しているのがフランスだということになるわけですね。

余談になりますけど、ライシテに関連して、フランスでは私学補助金問題でもめたことがあります。１９５０年代に、公立学校だけではなく私学に対する補助金も出そうとなった際に、宗教学校の私学に対して補助金を出すことは、国が宗教の支援をするという意味で、介入することになるのではないかという議論があって、私学補助金に対する反対運動がフランスで大きく盛り上がったのです。最終的には、私学にも補助金を出しましょうということになりましたが。

これは実は日本でも大きな議論になったんですね。日本国憲法の中に、国が宗教的な組織・団体の便益や維持のため、又は公の支配に属しない教育事業にお金を出してはいけないという主旨の規定があります（第89条）。

結局、当時の文部省、現在の文部科学省が「私学も日本の学習指導要領に基づいて、検定教科書を使って授業が行われているということにおいて、公の支配に属していることになるのだから、私学助成金を出すことは憲法違反ではない」という判断をして、フランス同様、宗教と関わりのある私学にも補助金が出ています。

ただし、直接国がお金を出すのではなく、私学事業団（日本私立学校振興・共済事業団）

という団体をつくり、そこからお金を渡すというかたちをとっています。フランスで私学補助金をめぐる大きな論争があったのですが、日本でも議論になったのです。

「シャルリー・エブド事件」と言論の自由

Q　2015年1月7日、フランスで宗教の自由と言論の自由が大きくぶつかる事件が起きました。それが「シャルリー・エブド事件」ですが、どんな事件だったか知っていますか?

——『シャルリー・エブド』という新聞にイスラム教の開祖であるムハンマドの風刺画を載せたために、イスラム過激派に会社を襲撃されて、何人も亡くなった事件です。

はい、そのとおりです。『シャルリー・エブド』というのは、フランスの週刊風刺新聞の名称ですね。この新聞がイスラム過激派の聖戦に参加する人を揶揄《やゆ》する漫画を掲載したんですね。これに対してイスラム過激派が猛烈に反発をして、シャルリー・エブド社を襲撃しました。会社の中でちょうど編集会議が開かれている時に、イスラム過激派テロリストが乱入して、銃を乱射したのです。編集会議に参加していた風刺漫画家やコラムニスト、警護をしていた警察官ら12人がその場で殺されてしまうという衝撃的な事件でした。なぜ、そこまで憎しみを増幅させたのでしょうか？

イスラム教においては、偶像崇拝が禁止されています。そして、預言者ムハンマドの肖像画を描くことも禁止されているのです。にもかかわらず、『シャルリー・エブド』は2006年、12年にそのムハンマドを風刺する絵を掲載していました。そうした経緯もあって、イスラム過激派はイスラムの教えに対する大変な侮辱をする組織だと考え、『シャルリー・エブド』本社を襲撃して編集長や風刺漫画家などを殺すという過激なテロ事件になったわけですね。

これに対して多くのフランス国民が立ち上がりました。フランスには信教の自由もあるけれど、言論の自由、表現の自由もあるんだ。キリストの風刺画だってフランスでは認められている。だから、ムハンマドを風刺する自由もあるのだと、多くの人たちが立ち上がることになったのです。事件から4日後、フランス全土でおよそ370万人、パリだけでも160万人もがデモ行進を行いました。

さらに、この行進には世界各国の首脳も参加しました。当時のオランド仏大統領をはじめ、イギリスのキャメロン首相、ドイツのメルケル首相、トルコのダウトオール首相、イスラエルのネタニヤフ首相、アッバース・パレスチナ自治政府大統領らが腕を組んでパレードをするということが起きました（P114写真⑪）。なんと、ロシアのラブロフ外相も参加

写真⑪—表現・言論の自由を掲げ、パリ大行進に参加した各国首脳。腕を組む列の先頭左から、ユンケル欧州委員長、イスラエルのネタニヤフ首相、マリのケイタ大統領、フランスのオランド大統領、ドイツのメルケル首相、欧州連合のトゥスク大統領、パレスチナ自治政府のアッバース大統領、ヨルダンのラーニア女王とアブドラ2世国王、トルコのダウトオール首相（2015年1月。肩書きはいずれも当時）
｜写真提供：AFP＝時事

写真⑫—「私はシャルリー」のプラカードを掲げデモに参加する人々（2015年1月、ロンドン、トラファルガー広場にて）｜写真提供：AGE / PPS通信社

しています。ラブロフ外相は、ロシアのウクライナ侵攻以来、メディアに頻繁に登場していますが、２００４年からずっと外相を務めています。表現の自由、言論の自由を守れというデモ行進に参加していたとは驚きですね。

そして、この時に多くの人たちが「私はシャルリー（Je suis Charlie）」というスローガンを持って立ち上がったのです。これはどういうことかというと、１９６３年6月にアメリカのジョン・F・ケネディ大統領が西ベルリン（当時）で演説をしたことがあります。当時、東西冷戦時代で、東ドイツの中にあるベルリンがさらにベルリンの壁で分断されていました。西ベルリンが東ドイツの中で陸の孤島のような状態になっていた。その西ベルリンをケネディ大統領が訪れて、自由を求めて戦っている人は世界のどこにいてもベルリン市民だと演説し、「私もまたベルリン市民だ（Ich bin ein Berliner）」と言った。ケネディの名演説のひとつとして残っています。そのように、当事者との連帯感を示すフレーズとして「私はシャルリー」、私もまたシャルリー・エブドの一員だというプラカードを掲げて大勢の人が行進したのです。こういったデモはフランスをはじめ、各地で行われました（右ページ写真⑫）。

２０２０年10月、ムハンマドの風刺画を授業で扱った教師が殺されます。その時、マクロン大統領は風刺画を擁護しました。すると、イスラム教の国であるトルコ、イラン、インドネシア、ヨルダンなどは「イスラム教徒の感情を逆なでした」とフランスを非難したことも覚えておかなければなりません。

ちなみにこの『シャルリー・エブド』という新聞は、実は持っているのがちょっと恥ずかしくなるくらい下品なことでも有名です（笑）。私もフランスに行って『シャルリー・エブド』を見るのですが、必ず下品な風刺画が掲載されています。

でも、フランスの人たちは、そういうものであっても、こんな下品な新聞だから自業自得だとは考えません。たとえ下品であっても、言論の自由を守らなければいけないと、国民が立ち上がるのもまたフランスらしいところです。政教分離をとにかく徹底しなければいけないという意識が非常に強いのです。

表現の自由はどこまで許されるのか

――2023年1月、スウェーデンの極右政治家が『コーラン』を燃やすパフォーマンスをしたために、トルコが反発してスウェーデンのNATO加盟が一時、暗礁に乗り上げたことがありましたよね。ほかの宗教を信じている人を挑発したところが『シャルリー・エブド』の風刺画と通じるなと思って。片方からすれば、別に何をしたっていいじゃないかっていい

うのと、信じている側からすれば、いけないことだっていう。宗教に関わる表現の自由は、どこまで許されると思われますか？

それは本当に難しい問題で、悩みどころですね。今の話でいうと、スウェーデンとフィンランドが、ロシアによるウクライナ侵攻を見て、自分たちもNATOに入ろうと加盟申請した。その場合、NATO加盟国がすべて賛成しない限り、加盟を認めないわけだよね。ところが加盟国のトルコがいいよと言わなかった。

トルコがなぜ反対していたかというと、自分たちがテロ組織とみなしているクルド人の武装勢力のメンバーを両国が受け入れているというのが理由でした。実は、トルコの中で独立活動をしていたクルド人たちが弾圧されて、スウェーデンやフィンランドに逃げてきたのを両国が人道的な見地から受け入れていたのです。トルコと両国は交渉を続けていたのですが、それに反発したスウェーデンの極右政治家がわざわざコーランを焼くというパフォーマンスをしたわけだよね。それでトルコが激怒して、スウェーデンはNATOに入れないということになってしまった。結局、フィンランドだけが2023年4月にNATOに正式加盟しました。

その後、7月になってスウェーデンはトルコと和解してNATO加盟が実現する見通しになりました。

表現の自由はあるのだから、ムハンマドのことをからかってもかまわないじゃないかと言えば、それはそのとおりだよね。でも、イスラム教を信じている人たちからすれば、それは自分の信仰心を激しく侮辱されたことになる。それに対して反発をすることは当然ありえるでしょう。だからといって、テロを行ってはいけない、人を殺してはいけないよね。だけど、宗教に関することを揶揄すれば、反発する人たちがいることは間違いないわけで、表現の自由は保障されているけれど、どこまで許されるのかという線引きは、大変大きな問題になっています。

もともと、フランス革命の時に、教会勢力を政治や公教育の場から切り離すために、共和派が中心になって、徹底的な政教分離を目指したわけだよね。そして20世紀の初めに、ようやく「政教分離法」を成立させて、ライシテが国家の基本原則のひとつになった。ところがイスラムの移民が増加して、ライシテは新たにイスラム教と摩擦を起こすようになっている。フランスのライシテは、政教分離の原則と寛容とのはざまで揺らいでいる、という見方もあります。

日本では1991年に小説『悪魔の詩』の訳者が殺害されるという事件がありました。「反イスラム的」とされた海外の小説を翻訳した大学の研究者が殺され、現在も未解決のままです。日本も他人事ではありません。信教の自由と表現の自由はどこで折り合うべきなのか、日本も、今まさに模索の最中なのだと思います。

私としては、あくまで個人的な考え方ですが、言論の自由、表現の自由は最大限認めるべきだと思うけど、それによって不快な思いをしたり、精神的に大きく傷つけられる人がいたりすることを考えれば、なんらかの配慮があってもしかるべきではないかなと。あくまで私の個人的な考え方で、それが正解というわけではない。君たち一人ひとりが考えてほしいと思います。

そして、宗教を信じている人たちが考えていることに対するリスペクトって、やっぱり大事なことではないでしょうか。カトリックを信じている人、プロテスタントを信じている人、東方正教会を信じている人、イスラム教を信じている人、あるいは、大乗仏教を信じている人、上座部《じょうざぶ》仏教を信じている人。ヒンドゥー教、ユダヤ教、さまざまな宗教がありますが、それぞれの宗教を信じている人たちに対するリスペクトを、私たちは忘れてはいけないのではないでしょうか。別にその宗教を信じる必要はありませんが、信じている人に対して、侮辱をしたりプライドを傷つけたりといったようなことはしないほうがいいのではないかと思っています。

第4章

移民問題から見るフランス

サッカーフランス代表の多様性

２０２２年に行われたサッカーワールドカップのカタール大会では、日本の選手たちが躍動しましたが、アルゼンチンが36年ぶりの優勝を果たしました。決勝の対戦相手はフランスでした。フランス代表には、中東系の褐色の肌の人もいればアフリカ系の黒人もいます。北アフリカにルーツを持つ白人の選手もいますね（左ページ写真⑬）。フランス代表には本当に多様な人たちがいるんだなと感じた人が多かったのではないでしょうか。

彼らの多くは、フランスの旧植民地から来た移民の子孫です。得点王に輝いたエースのキリアン・エムバペ（同写真⑬前列右端）は、父親がカメルーン出身で、母親はアルジェリア系フランス人です。

フランスは、準決勝でモロッコと対戦したでしょう。モロッコはフランスの植民地だったから、モロッコ出身の人たちが大勢フランスに住んでいます。また、フランスは二重国籍を認めているため、フランス人でモロッコの国籍を持っている人たちもたくさんいます。試合はカタールで行われましたが、勝っても負けても、パリの街でモロッコ出身の人たちが大騒ぎを起こすのではないかと、かなり警戒されていました。

でも、実際にはほとんどそういうことはなく、穏やかに終わりました。その時、街頭インタビューを見ていたらモロッコ系と思われる人たちが「モロッコを応援していたけど、フランスに住んでいるからね」とか、「どちらかに一方的に肩入れするわけにはいかない」と答えていました。意外と冷静だったのだなと感じました。

「フランス移民の出身国ランキング」を見てみましょう（P124図表⑩下）。1位はアルジェリア、それから、モロッコ、ポルトガル、チュニジアと続いています。ポルトガルからの移民が多いのは、ポルトガルがヨーロッパの中では非常に貧しい国なので、豊かなフランスに移住したというわけですね。

あるいは、アフリカのコモロ、セネガル、

写真⑬　2022年ワールドカップでのフランス代表イレブン（準決勝、対モロッコ戦前）
写真提供：EPA＝時事

図表⑩ー**フランスの移民問題**

○フランスの移民者数と移民人口比率｜出典：国連

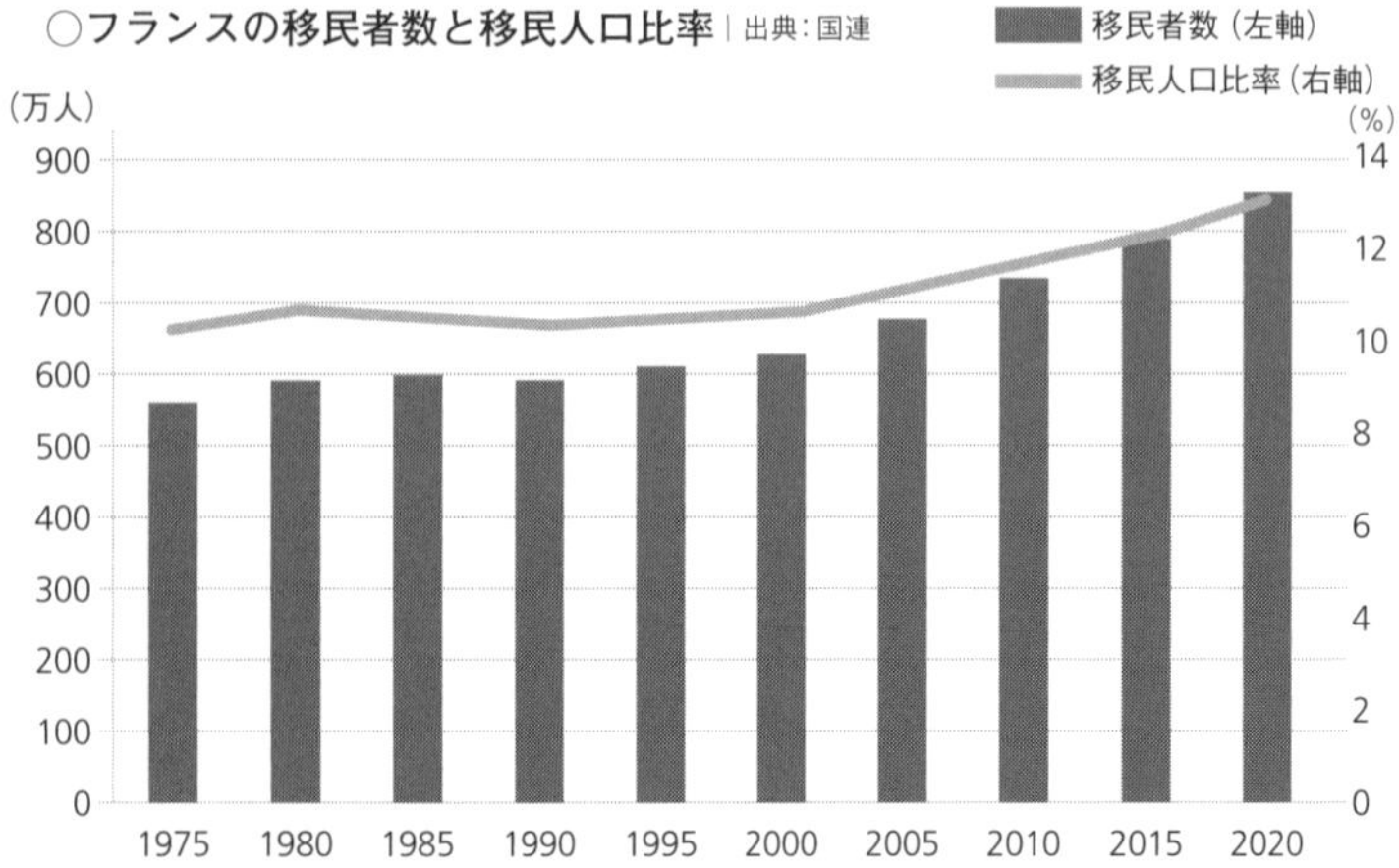

○フランス移民者の出身地域（2019年）
｜出典：フランス国立統計経済研究所（Insee）

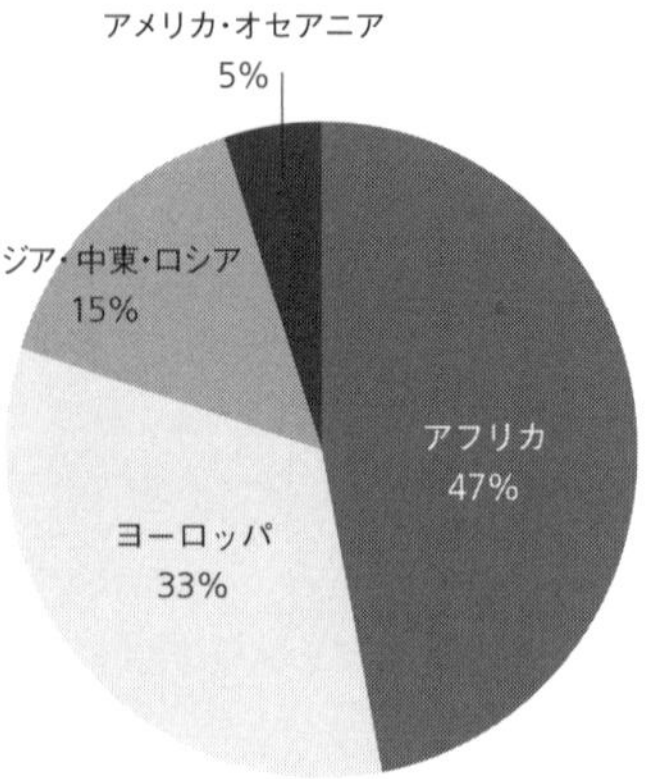

フランス移民の出身国ランキング（2019年）

	国名	移民人口での割合（%）
1	アルジェリア	12.6
2	モロッコ	12.0
3	ポルトガル	9.0
4	チュニジア	4.5
5	イタリア	4.3
6	トルコ	3.7
7	スペイン	3.6
8	イギリス	2.2
9	ルーマニア	2.0
10	コモロ	1.9
11	ベルギー	1.9
12	セネガル	1.7
13	ドイツ	1.7
14	中国	1.7
15	コートジボワール	1.6
16	カメルーン	1.3
17	コンゴ民主共和国	1.3
18	マリ	1.3
19	ハイチ	1.3
20	ポーランド	1.3

コートジボワール、カメルーン、コンゴ民主共和国、マリなどの人たちがフランスに移民として来ていることがわかります。フランスの植民地だった時には、当然のことながら、それぞれの植民地とフランス本国の行き来がかなり自由にできたわけだから、豊かなフランスに住み着いて、そのままフランス国民になるという人たちが大勢いたということですね。

実は、モロッコ代表をアフリカ初のベスト4に導いて注目されたワリド・レグラギ監督は、フランス生まれのモロッコ系フランス人で二重国籍の持ち主です。フランスで育ち、フランスのプロサッカーリーグでの選手経験もありますが、代表チームではモロッコ代表を選択してプレーしました。そして、今回モロッコの監督になってフランスと対戦したという、私たちから見るとちょっと不思議な関係ですが、ヨーロッパの場合は珍しくないわけですね。

二重国籍を認めていない日本は少数派

日本は現在、二重国籍を認めてはいません。たとえば、日本人の両親がアメリカに行って子どもが生まれると、その子どもはアメリカの国籍が取れます。その一方で、両親がアメリカの日本大使館、あるいは日本総領事館に出生届を出せば、日本の国籍が得られます。

その時点で、子どもは二重国籍になるわけですね。でも日本の場合は、一定の期限までにいずれかの国籍を選ばなくてはなりません。以前は22歳に達するまででしたが、成年年齢の引き下げに伴い、現在は20歳に達するまでに選択することになっています。そして、日本国籍を選択したら、その段階で外国の国籍を放棄するのです。ただし、国籍法16条第1項には「当該外国国籍の離脱に努めなければならない」とされています。つまり外国国籍の放棄は強制ではなく努力義務なのですね。日本国籍を選択した人たちでも、外国国籍がアメリカのように二重国籍を認めている国のものならば、放棄せずに持ち続けている人たちもいるということになります。

日本の国籍法は、出生地ではなく、日本国籍の親から生まれた子どもが日本の国籍を得られる「血統主義」を採用しています。一方、アメリカは、出生地を国籍にする「生地主義」です。フランスは「生地主義」と「血統主義」を併用しています。実は、世界を見ると「生地主義」の国が非常に多いわけですね。あるいは、それらの国では二重国籍（多重国籍）を認めるというところが結構あります。

国連の調査によれば、2011年時点で世界の7割ほどの国が条件付きを含めて二重国籍を認めているそうです。普段、あまり意識することはないかもしれませんが、二重国籍を認めていない日本は、世界では少数派に属するのです。

フランスの場合、移民の人たちが出身地の国籍と、フランスの国籍を持つことがあるわけですが、それでいうと、思い出す事件がありますね。いつの間にか日本を出てレバノンに飛んでいた人物がいたでしょう？

――日産自動車の会長だったカルロス・ゴーンのことですか？

はい、そのとおりです。カリスマ経営者として有名だったカルロス・ゴーンですが、2018～19年に、日本で金融商品取引法違反と特別背任罪で逮捕・起訴されました。そして、仮釈放されたら、いつの間にか日本を出て、中東のレバノンに逃げ込んでいたのです。

彼は、ブラジルでレバノン人の両親のもとに生まれました。幼い時にレバノンの首都ベイルートに転居し、18歳になるとパリに移って高等教育を受け、大手タイヤメーカーのミシュランに入社。南米事業部を立て直した手腕などが評価されてルノーにヘッドハンティングされます。そして、ルノーが日産と資本提携したので日産のトップとして日本に赴任してきたわけですね。彼は、ブラジル、レバノン、フランスの三つの国籍を持ち、3か国のパスポートを所持していました。

――どうして、そういうことになるのですか？

国籍に関して、レバノンは血統主義、ブラジルは生地主義なので、ゴーンはブラジルで生まれた時に両国の国籍を取得できたのです。フランスの国籍は生地主義と血統主義の併用ですが、フランスで生まれなくても帰化を希望する場合、条件をクリアできれば国籍を取得できます。推測ですが、彼は成長してからフランス国籍を取ったのでしょう。帰化の条件には、フランスに5年以上住んでいるとか、フランス語を普通に話せる、安定した就労などが含まれますが、彼ならクリアできます。

ゴーン被告は、釈放された時、保釈の条件のひとつとして、海外渡航を禁止されていました。でも、彼はこっそり楽器のケースの中に身を隠し、プライベートジェットで日本を出て、トルコ経由でレバノンに入国することができたわけです。ここで、パスポートの謎が浮上します。日本からは密出国だったとしても、トルコからレバノンに入国する時はどうしたのか。

日本の弁護団は、ゴーン被告のすべてのパスポートを国内で預かっていました。フランスの新聞『ル・モンド』は、ゴーン被告は身元を示すなんらかの証明書を使ったとしています。また、レバノンの政府関係者は、フランスのパスポートとレバノンの身分証明書を使って入国したと言っています。真相はわかりませんが、二重国籍あるいは三重国籍で、いくつもパスポートを持っている人たちがいるというのが、日本にいると、なかなか想像できないですね。

私の知人に、トルコ出身で日本の国籍を取った人がいます。トルコは二重国籍を認めています。だから、日本の国籍を取ってもトルコの国籍を持ったままでもいいという立場なのですが、日本の法律にある「外国国籍の離脱に努める」ことを受け入れ、日本国籍を取った段階でトルコの国籍を放棄しました。だけど、そういう人のためにトルコは永住権を認めています。永住権を保証する証明書というのがあって、彼は日本とトルコの間を行ったり来たりする時に、日本を出る時は日本のパスポートで、トルコに入る時にはトルコの永住権の証明書で入っています。

そして、彼はもともとトルコ人だから、見た目が日本人と違うわけだよね。羽田空港や成田空港に帰ってくるたびに、日本国民の列に並ぼうとすると、「外国人はあっち」と言われるといって、腹を立てていましたね。これからの国際時代、外見だけで国籍を判断できないということですよね。また、日本は日本の国籍しか認めていませんが、多重国籍を認めている国が多いということも知っておいてほしいなと思います。

移民2世と「郊外問題」

フランスは移民大国で、自由と平等を重んじる国ですが、異なる文化を持つ移民が大勢入ってくると、当然のことながら、さまざまな問題が起きています。特に、大きな問題になったのが、2005年、パリの郊外で北アフリカ系移民の少年たちが犯罪容疑で警察官の追跡から逃げる途中、変電所に入り込んで感電死してしまった事件です。これをきっかけに、フランスに来た移民の2世・3世の若者たちがパリ郊外で暴動を起こしました。暴動は全国に広がって、政府が非常事態宣言を出す事態に陥りましたが、約3週間後に鎮圧されました。しかし、移民2世・3世の若者たちが自分たちへの差別に対する強い不満を持っていることが明らかになったのです。

2023年6月にも北アフリカ出身の移民2世の少年が警察官に銃殺される事件が起きて、フランス各地で暴動が起きました。

――フランスで生まれた子どもはフランスの国籍が取れるし、フランス人として公教育や公的なサービスを受けられるのではありませんか。なぜ彼らは差別されて、暴動を起こすほどの不満を抱えていたのですか？

確かに、移民の子どもたちはフランスの国籍を持っているし、公教育を受ける権利もあります。でも、見た目が違っていたり、宗教が違っていたりすることで差別を受けやすいのです。あるいは、フランス語が十分話せなくて就職がなかなかできない。移民の家庭では親がフランス語を話せない場合もあるし、相対的に貧しい家庭が多いから、教育に無関心なことが多いのです。その結果、資格や学歴がなく、就職もかなわず、差別と貧困に苦しんでいることへの不満が噴き出して、大混乱が起きたわけです。

暴動事件が発生した地区は、フランス語で「バンリュー（banlieue）」と呼ばれる「郊外」でした。パリをはじめ、大都市の周辺では1950年代頃から人口増加に対応して、公営の住宅団地が次々と建てられて、そこに北アフリカなどからの移民が住むようになりました。彼らが住む郊外は、失業率と貧困率が高く、治安の悪い地区として有名になってしまい、フランスが頭を悩ます「郊外問題」となっているのです。

ちなみに、フランスのスーパースター、サッカーのエムバペ選手はこの「郊外」の出身です。

彼はパリから北東に約10キロのボンディという郊外の団地で生まれました。さらに、フランスサッカー界には、もうひとり「郊外」出身の有名なスターがいます。1998年のフランス大会で母国を優勝に導いた、元フランス代表ジネディーヌ・ジダンです。ジダンは両親がアルジェリア出身で、フランス南部のマルセイユの「郊外」で育ちました。サッカーの名選手を輩出してきた「郊外」は、まさに移民の光と影が混在する場所なのです。

フランスの移民政策の変遷

フランスの「郊外問題」を見ていると、日本も決して他人事ではありません。これから、日本はどんどん人口が減っていくわけでしょう。さまざまな場所で、人手不足がとても深刻な問題になっていくわけです。人口が減っていくと、日本の国力が弱くなってしまうのではないか。だから移民を受け入れたらいいんじゃないかと、日本でも議論になってきています。

フランスでも、過去に、労働力不足を移民で解消しようとしたことがあったんですね。特に1960年代から70年頃にかけて、フランスが高度経済成長していた時代、働き手が足りなくなりました。それで、どんどん移民を受け入れることにしたのです。とりわけ、アルジェリア、モロッコなど、フランスの旧植民地の人たちを積極的に受け入れたわけですね。その結果、移民が大幅に増加しました。

ところが、1973年から74年にかけて「オイルショック」という石油危機が起きたのです。これには、1973年10月に起きた第四次中東戦争が関係していました。エジプト、シリアなどのアラブ諸国とイスラエルの間で行われた戦争です。アラブ諸国が自分たちの石油を武器にして、「アラブ諸国の味方をしない国には石油の価格を引き上げていきますよ、高い価格でしか売りませんよ。イスラエルを支援しているアメリカとオランダに対しては石油を一切売りません」ということをやって、自分たちの戦争を有利に運ぼうとしたのです。世界中で石油が手に入らなくなるかもしれないという石油供給危機が起きたんですね。

日本でも、ガソリンスタンドで自動車への給油制限が起きたり、あるいは、重油を使った発電ができなくなるんじゃないかと不安になって深夜のテレビが全部放送中止になったり、銀座や渋谷のネオンサインが全部消えたりという、そういうことが起きたんですね。石油関連商品の買い占めが起き、なぜかトイレットペーパーをスーパーで客が奪い合うパニックも発生しました。

これらの経済的混乱をオイルショックといいます。これをきっかけにフランスでも大変な不況になってしまって、労働力不足どころか、労働者が余ってしまって、どんどん解雇しなければいけない事態になりました。今度は一転して、移民は受け入れないようにしようと方針が変わるわけだよね。それまではどんどん移民を受け入れていたのが、突然、新たに移民は受け入れないという状態になったのです。

でも、それまでに移民として受け入れた人はいるわけだよね。１９６０年代から７０年代にフランスに入ってきた移民の人たちは、とりあえず単身で、家族を故郷に残したまま、ひとりフランスに住んで働いていました。その人たちは、住む場所ができて、働く場所ができたら家族を呼び寄せたいと願います。フランスは、「移民の人たちの人権をやっぱり守らなければいけない。だから、家族の呼び寄せを認めますよ」ということにしました。つまり、新規の移民は受け入れないけど、すでにフランスで生活している移民の人たちは家族の呼び寄せをできるようにしたのです。結果的に移民はかなり増えることになりました。

そうなると、今度は、移民が増えすぎてしまったことが問題になり、1976年には、移民の帰国奨励政策を取るようになります。それは「フランスで移民として働いていた人たちが出身国に帰るなら、そのためのお金を出しますよ」というものでした。旅費を出してあげるから母国に帰ってください、というやり方をして、少しでも移民を減らそうとしたのです。

でも、なぜフランスに働きに来るかというと、本国との経済格差がひどいからでしょう。それぞれの出身国は当然貧困で苦しんでいる。フランスに来ると差別をされるかもしれないけど、給料は祖国に比べればずっと高い。フランスにいたほうが豊かな暮らしができるわけです。旅費を出してあげるから帰りなさいと政府が呼びかけても、ほとんど効果がありませんでした。

そうこうしているうちに、またフランス経済が発展を始め、2000年以降は、再び移民をどんどん受け入れましょうという政策になりました。「フランスの移民者数と移民人口比率」（P124図表⑩上）というのがありますけれど、特に2000年以降、右肩上がりで移民が増えているのが明らかですね。つまり、経済が発展して労働力不足になると、また移民を受け入れようとするわけですね。

実はフランスの隣のドイツも同じ状態なのです。ドイツも経済が急激に発展していった時期に、多くの移民を受け入れて、さらにその移民の家族の呼び寄せを認めることによって、どんどん、どんどん移民が増えていきました。ヨーロッパ各国でそういう状態になったということですね。

日本の技能実習制度と特定技能制度

日本は、これまで移民は一切認めないという方針を取ってきました。でも、さまざまな分野で労働力不足が起きているので、外国人労働者数は増加しています。厚生労働省の調査によれば、現在、約182万人の外国人が日本で働いています（2022年10月末現在）。

どの国の人が多いのかというと、ベトナム、中国、フィリピンが上位3か国で、この3か国で外国人労働者の過半数を占めています。

東京にいるとわかりづらいのですが、今、地方の農村地帯に行くと、明らかに中国だったり、ベトナムだったり、カンボジアだったり、そういう国から働きに来た人たちによって日本の農業が維持されていることを実感させられます。

あるいは、一部の漁港に行くと、インドネシアの出身者ばかりという事態になっています。日本で働いている外国人労働者のうちインドネシア人の割合は4％くらいなのですが、漁業の現場では圧倒的に多いのです。インドネシアは漁業が盛んで、現地で水産高校を卒業して漁業の仕事に就こうと考えて日本へ来る若者も多いそうです。日本の漁業はインドネシアの人たちに支えられているという、そんな状態が続いてきたのですね。

コロナで外国人労働者が来られなくなってしまった間は、大変な人手不足が起きてしまいました。コロナの水際対策が緩和されたため、さらに外国人労働者が増えるでしょう。では、この人たちは、どんな立場で働いていると思いますか？

――技能実習生でしょうか。

現在、技能実習生は約34万3０００人いて、外国人労働者全体の20％くらいですね。外国人が日本で働く場合は、俗に〝就労ビザ〟と呼ばれる「在留資格」が必要となります。

在留資格は、外国人の滞在・活動を許可する機能を持ち、在留資格の種類によって、日本でどんな仕事（活動）ができるかが変わってきます。技能実習は在留資格のひとつです。
ちなみに、日本で働いている外国人労働者の在留資格で最も多いのは「永住者」「永住者の配偶者等」「日本人の配偶者等」「定住者」の4種類です。この人たちに就労制限はありません。職種・業種を問わず自由に働くことができます。この4種類の次に多いのが、「専門的・技術的分野の在留資格」に当てはまる人たちで、みんなに身近なところだと、学校や語学教室の先生、外国料理店のシェフなど、専門的な技術を持つ人たちですね。特定の職種だけで就労が許可されています。その次に多いのが技能実習生です。それでは、質問です。

Q 技能実習制度とは、どういうものですか？

――途上国の人たちに働きながら専門的な技術を学んでもらって、それを自分の国で生かしてもらう制度です。

はい、そうですね。「技能実習制度」は1993年から始まりました。国際貢献のひとつとして、途上国の人たちを日本に呼んでさまざまな技能を身につけてもらおう、その技術を持ち帰って祖国の経済発展を担う人材になってもらおうというのが目的です。でも、理想どおりの展開にはなっていないよね。実習の現場でトラブルが相次いで、ニュースでも、これまでいろいろ報じられてきたでしょう。技能実習生について、どんなことを知っていますか？

――実習生が長時間労働を強いられたり低賃金だったり、雇い主のパワハラや差別などがあって社会問題になっていますよね。

そうだね、技能実習制度は、最終的には国際貢献が目的です。実習生に技能を学びながら働いてもらう研修制度であって、人手不足の解消のためではありません。ところが、単純労働を長時間やらされたり、すごく安いお金で働くことになったりした実習生たちが大勢いるんですね。つらくて失踪してしまう実習生も出ました。

技能実習生とは名ばかりで、実際には安い給料で働かされて、人手不足の穴埋めにされていることが多い。さらに、そこで不当な差別、暴力などの人権問題も起きて、深刻な状態になっているわけです。現行の技能実習制度を廃止して、実態に合わせた新たな制度に移行すべきだという意見が強く、政府は有識者会議を設置し、議論を重ねて改善に乗り出しています。

一方で、政府は２０１９年、安倍内閣の時に「特定技能制度」を新たに導入しました。これは、日本国内で働ける外国人を増やすのがねらいで、人手不足が深刻な業界で即戦力として働ける外国人を確保するための制度です。次に挙げる12の分野で、一定の技能・専門性を持つ外国人に「特定技能」という在留資格を与えて、通算で上限5年間、日本国内で働けるようにしたのです（2023年8月現在）。

①介護、②ビルクリーニング、③素形材・産業機械・電気電子情報関連製造業、④建設、⑤造船・舶用工業、⑥自動車整備、⑦航空、⑧宿泊、⑨農業、⑩漁業、⑪飲食料品製造業、⑫外食業

「特定技能」には1号と2号の2種類の在留資格があり、2号には管理者・指導者としての技能も求められます。1号を修了すると2号へ移行できるのですが、2号になると在留期間の制限がなくなります。家族を呼び寄せることもできます。更新手続きは必要ですが、実質的に永住することが可能になるわけです。

また、技能実習を優良に修了し、前述の12の分野に当てはまれば、特定技能へ在留資格を移行することを可能にし、最大10年間は滞在できるようになりました。こういうかたちでなんとか働き手を増やそうとしたのです。

客観的に見れば、これは日本が「移民を受け入れる」という選択をしたわけです。でも、

自民党の中では、移民を受け入れるべきではない、宗教や生活習慣が違う人たちが入ってくると、さまざまな社会的トラブルが起きるから移民受け入れには反対だ、という根強い反移民の考え方があるものだから、安倍内閣は、移民ではありませんよと言いながら、実質は移民を受け入れるほうに舵を切ったということですね。

だから、今、日本はとても中途半端な立場にあります。移民は受け入れないんだよ、だけど、優秀で高度な技能を持った人たちには働きに来てほしいよね、という図式になっているのです。

移民2世・3世が自国で個別にテロを起こした

日本とは対照的に、フランスは、はっきりと移民として受け入れますよというやり方をしています。でも、フランスの場合は、入ってきた移民たちに、よきフランス人になってもらおうと考えるのですね。だから、フランス語の教育をし、前章で説明した「ライシテ（政教分離）」を徹底させるわけです。フランスの価値観を共有させて〝フランス国民になる〟ことを期待するのです。

それでも、北アフリカや中東から来たイスラム教徒の人たちは、スカーフを被っていたり、街頭で一日5回のお祈りの時間になったら、道路の脇や歩道に敷物を敷いて、メッカの方角に向かってお祈りを始めたりするわけだよね。公共の場所でそういう宗教活動をしてはいけないというフランスの方針と衝突することが起きているわけですね。

とりわけ、数年前にＩＳ（Islamic State／自称「イスラム国」）がイラクとシリアで勢力を伸ばしていた時に、世界中からＩＳに参加しようという若者たちが殺到したことがあります。それに対して、イラク、シリアはＩＳを徹底的に潰そうとしました。若者たちを呼び寄せることができなくなったＩＳはどうしたかというと、「それぞれの場所でイスラムの聖戦を戦え」と呼びかけたのです。

すると、ヨーロッパ各地で移民の2世、あるいは3世が、呼びかけに応じて、自国でテロを起こしました。フランスではシャルリー・エブド事件のあとにパリ中心部のレストランや劇場、郊外のスタジアムで発砲・自爆による同時多発テロが起き（２０１５年11月）、ドイツはベルリンでクリスマスのマーケットにトラックが突っ込み（２０１６年12月）、イギリスではマンチェスターのコンサート会場での爆発事件がありました（２０１７年5月）。

テロ事件を起こした若者たちの親の世代は、「中東は政情不安でとても安心して暮らせない。ヨーロッパの先進国に移れば、きっと幸せな生活ができる」と思って、各国へ移住したわけです。

フランスに来た中東の夫婦に子どもが生まれれば、その子どもはフランス生まれの生粋のフランス人です。でも、彼らのルーツは中東にあり、親がイスラム教徒だから子どももイスラム教徒になり、学校に通うようになるとキリスト教社会の中でさまざまな差別を受けてしまいます。あるいは、自分は社会から認められていないんじゃないかという不満が生じる。

フランス的価値観を受け入れて「フランス人になる」ことは、フランスで生まれた2世・3世にとっても、たやすいことではないのです。そういう中で、ISがフランス語やドイツ語や英語を使って「聖なる戦いに立ち上がれ」と呼びかけるネットの動画を見てしまう。それをきっかけにすっかりはまってしまって、それぞれの国でテロを起こす事件が相次いだのです。これが深刻な問題になったことがあります。

現在では、ISがほぼ壊滅状態になったし、ヨーロッパ各地で過激派に対する監視が強くなったので、とりあえずテロは激減しましたが、異なる外見や文化を持つ移民の人たちを社会の中でどう受け入れるのかということは、子や孫の代まで引き継がれる、実は大変深刻な問題だということですね。

第1章で話しましたが、フランスにおける移民の割合は、親が移民という人を加えると

20％を超え、祖父母が移民という人も加えると30～35％に上ります。つまり、フランス住民の3分の1が移民のルーツを持っているという「移民大国」になっている。そして、移民との統合は必ずしもうまくいっていない。分断が広がるにつれて、反移民を打ち出す極右政党「国民連合（ＲＮ）」が支持を伸ばしました。２０２２年の大統領選では党首のマリーヌ・ル・ペンが、負けはしましたがマクロン大統領との票差を前回よりかなり縮めました。それが今のフランスの姿なのだということですね。

ヨーロッパ難民危機を招いた「アラブの春」

20世紀後半、主にフランスの高度経済成長期に移民としてやってきたのは、アルジェリアやモロッコなど旧植民地の北アフリカの人々でした。ところが、21世紀に入ってからは中東のシリアやアフガニスタンから難民としてフランスにやってくる人たちが増加します。中には、ひとりで、それこそ命がけでフランスを目指してやってくる子どもたちがいます。なぜ、子どもたちはひとりでフランスに逃れてくるのか。その理由を探ってみましょう。

Q　２０１０年～１２年にかけて起きた「アラブの春」とは、どんな出来事か知っていますか？

――**北アフリカのチュニジアから始まった、アラブ世界の民主化運動です。**

　はい、ひと言で言えばそういうことですね。普段ニュースでも〝アラブ〟という言葉が出てきますけど、じゃあ、「アラブ世界」というのはどの国々を指すのだろうか。

――**アラビア半島にある国々、それから北アフリカのチュニジア、モロッコ、アルジェリアとエジプトとか。**

　そうですね、「アラブ世界」の範囲は、アラビア半島から北アフリカ一帯に広がっています。〝アラブ〟は、アラビア語を話すアラブ人が多く住んでいる地域です。だから、トルコ人の国であるトルコやペルシャ人の国であるイランは含まれません。北アフリカのどの国がアラブ世界に入るのか、なかなかわからないよね。北アフリカにおけるアラブの国は、チュニジア、モロッコ、アルジェリア、リビア、エジプト、スーダン、モーリタニア、といった国々です。

　これらの北アフリカ諸国とアラビア半島の中東地域には、独裁政権が多く、国民の不満がたまっていました。２０１０年の12月に、チュニジアの若者が街頭で許可なく野菜を販売していたところ、警察にとがめられて商品を没収されたうえに賄賂まで要求されました。警官から罵られ暴力まで振るわれた若者は絶望して、抗議の焼身自殺をしたのです。

この出来事は、若者の失業率が高く、経済的に苦しんでいたチュニジアの人々の共感を呼び、抗議の大規模デモに発展します。怒りの矛先は、腐敗体質で人権抑圧を長年続けてきたベン・アリ大統領に向かいました。運動が盛り上がった結果、大統領が逃げ出して、チュニジアは民主化に成功するんですね。この民主化運動は、チュニジアを代表する花にちなんで「ジャスミン革命」と呼ばれています。

すると、それを見ていた周りの国々でも次々に民主化運動が起きました。一方でその動きを弾圧しようとする政権もあって大変な騒乱が起きたわけです。リビアだったり、エジプトだったり、シリア、イエメンなど、長期独裁を続けていた国々が大騒乱状態になりました。

民主化運動の結果、チュニジアは唯一民主化に成功しました。エジプトでは30年続いていたムバラク政権を倒して一時的に民主化されましたが、すぐに軍出身のシーシ大統領による独裁政権に戻ってしまいました。リビア、シリア、イエメンでは「アラブの春」をきっかけに国内が混乱し、内戦状態に陥ります。民主化運動が起きたほかの国々は、結果的に政権や体制は維持されることになりました。

中でも、泥沼の内戦で多くの難民が発生したのがシリアです。シリアでもアサド大統領の独裁政権に対する民主化運動が起きましたが、その実態はイスラム教の少数派であるアラウィー派（アサド政権側）とイスラム教の多数派であるスンナ派（民主化運動側）の宗教対立でした。さらに、周辺国やロシア、アメリカまで巻き込む激しい内戦に発展してしまったのです。

シリアの人たちは、難民となって逃げ出しました。大半は周辺のトルコ、レバノン、ヨルダン、イラク、エジプトに逃げ込んだのですが、お金がある人は、なんとか生活水準の高いヨーロッパに移ろうとしました。家族全員が難しければ、子どもだけでも経済的に発展しているヨーロッパ、中でも難民への保護が充実しているドイツ、イギリス、フランスのいずれかに送り込もうとしたのです。

「我が子だけでもフランスへ」と難民が願う理由

シリアからヨーロッパへ向かう難民は400万人以上いたそうです。難民が急増したのは2015年の夏頃からでした。私は、シリア内戦はその前から続いているのに、なぜ2015年の夏からなのだろうと思っていましたが、ちょうどその頃、ヨーロッパで難民を取材する機会があって、理由がわかりました。

それは、スマートホンが普及したからだったのです。2015年になって、難民たちの間でのスマートホンの普及率がほぼ100%に達したといわれています。実は、「アラブの春」の民主化運動が短期間でアラブ世界を覆いつくすほどに広がったのも、SNSの普及が要因といわれています。チュニジアをはじめ、各国の抗議デモがリアルタイムで拡散されて、広域での民主化運動に結びついたのです。シリア難民たちも、スマートホンで先にヨーロッパに行った人と連絡を取り合い、最新の情報を得て、移動がしやすかったのでしょう。

――難民たちがほぼ全員スマートホンを持っているって、意外で驚きました。

そうでしょうね。難民といえば、所持金のない困窮した人の姿を想像するかもしれませんが、シリアの人の生活水準はかなり高いのです。私は2014年の冬に、シリアの隣国であるヨルダンの難民キャンプへ行ってきました。シリアの人に自宅の写真を見せてもらったのですが、豪邸と言っていいような立派な家で驚きましたね。

ヨルダンは、シリアに比べると生活水準が少し低めです。シリアから逃げてきてヨルダンの難民キャンプで過ごすと、シリアにいた時より生活レベルが低くなってしまう。みんな難民キャンプでの生活に不満を持っていたのです。だから、シリア難民の中でも、お金を持っている人は、先進国で経済が発展しているドイツやフランス、イギリスを目指します。まず、家族の中で元気な息子や父親が先に行き、SNSで残りの家族に情報を知らせ、連絡を取り合いながらやってくる。そんなやり方が、よく行われていました。

移動経路には、あちこちでボランティアの人々が「充電ステーション」を設けていました。スマートホンの充電には困りませんね。さらに、中東からヨーロッパにかけては、当時すでに無料のワイファイ（Wi-Fi）スポットが充実していたので、通信料がかからずにさまざまな情報を得ることができたのです。スマートホンを使って難民が押し寄せる——21世紀になって、本当に時代が変わったなと取材に行って思いましたね。

そして、難民が大挙してヨーロッパを目指すのは、フランスやドイツ、イギリスが難民を受け入れてくれるという保障があるからです。その保障の根拠となるのが「難民条約」です。

難民条約とは、難民の取り扱いに関する最小限の人道的基準を設定したものです。難民条約の中に定義された「難民」を要約すると、「本国にいると、政治的、あるいは人種的、民族的に抑圧を受け、迫害を受ける恐れがあって国外に逃げて来た人」ということになります。難民条約の締結・加入・監督を行うのは国連難民高等弁務官事務所（ＵＮＨＣＲ）です。

シリアの内戦を逃れてフランスやドイツ、イギリスにやってきて、私は難民ですと申請をすると、難民条約に基づいて、とりあえず、とどまることが認められます。フランスの場合、それからは、まず本当に難民かどうかという審査を受けます。審査を受けている間はフランスにとどまることができるんですね。そして、確かに難民であると認定されれば、永住権が得られます。そのままフランスに住むことができます。そして、一定の年数住んでいれば、フランスの国籍が取得できるようになるのです。

その一方で、難民だと言って入国すればフランスにいられるのだなと、中には偽装難民というのも出てくるわけだよね。実際には迫害されていないけど、フランスに出稼ぎに行くから、難民だと名乗れば入れるよねという、そういう人たちも入ってくるわけです。だから難民かどうかを認定するのには、とても時間がかかるのです。

しかし、フランスの場合、未成年の子どもはとにかく大切にしなければいけない、何がなんでもちゃんと受け入れようという体制なので、紛争地域の親たちは、「子どもをフランスに送れば保護してもらえる」と考えて、いろんな紛争地帯からまだ成人になっていないような子どもが、時にはたったひとりでフランスに来ているのです。

その状態を私の知人が取材したのですが、子どもたちはフランスにたどり着くまで、ほかの国で、ものすごく迫害を受けるそうです。警察官によって殴られたり、国境を通らせてくれる闇業者から拷問のような仕打ちを受けたり、それはそれは悲惨な思いをして、フランスにやってくる。フランスの受け入れ体制も万全ではないでしょう。けれども子どもたちはフランスにたどり着くと、フランスの警察官は殴らないんだ、保護してくれるんだと感激をするという話を聞きました。

警察官が難民の子どもを殴るなんて、私たちの常識ではありえないでしょう。だけど、独裁国家ではそういうことがいくらでもあります。フランスに入れば絶対そういうことはない。必ず国が保護してくれるという安心感や期待から、大勢の人たちがフランスを目指すのです。

パリ市では、難民の子どもたちを児童養護施設で養い、フランス語と義務教育レベルの教育を受けさせ、社会で働いて自立するための資格を取る指導を行っています。それらは、市民の税金で賄われています。移民の子どもを寛大に迎え入れて、よきフランス人になってもらうために教育する。これもまた、フランスという国の一面なのです。

フランスの植民地だったハイチの悲劇

ここで移民の出身地であるフランスの旧植民地について見てみましょう。フランスは、世界各地に植民地を持っていました。「フランスの主な植民地」という地図（地図④）を見てください。特にアフリカに多いわけだよね。あるいは、インドシナ半島の東部もそうですね。アメリカ大陸では、ケベックを中心にカナダへ進出し、ルイ14世時代にはアメリカ中南部のルイジアナも植民地にしました。「ルイジアナ」は、ルイ14世にちなんだ名称なのです。

そして、カリブ海の島にもフランス領がありました。いちばん大きいのがイスパニョーラ島です。島の名前（スペイン語で「スペインの」島）が示すとおり、最初に発見して占領したのはスペインでしたが、17世紀末に、島の西部をフランスが占領しました。その地域が、ほぼ現在のハイチと重なります（その

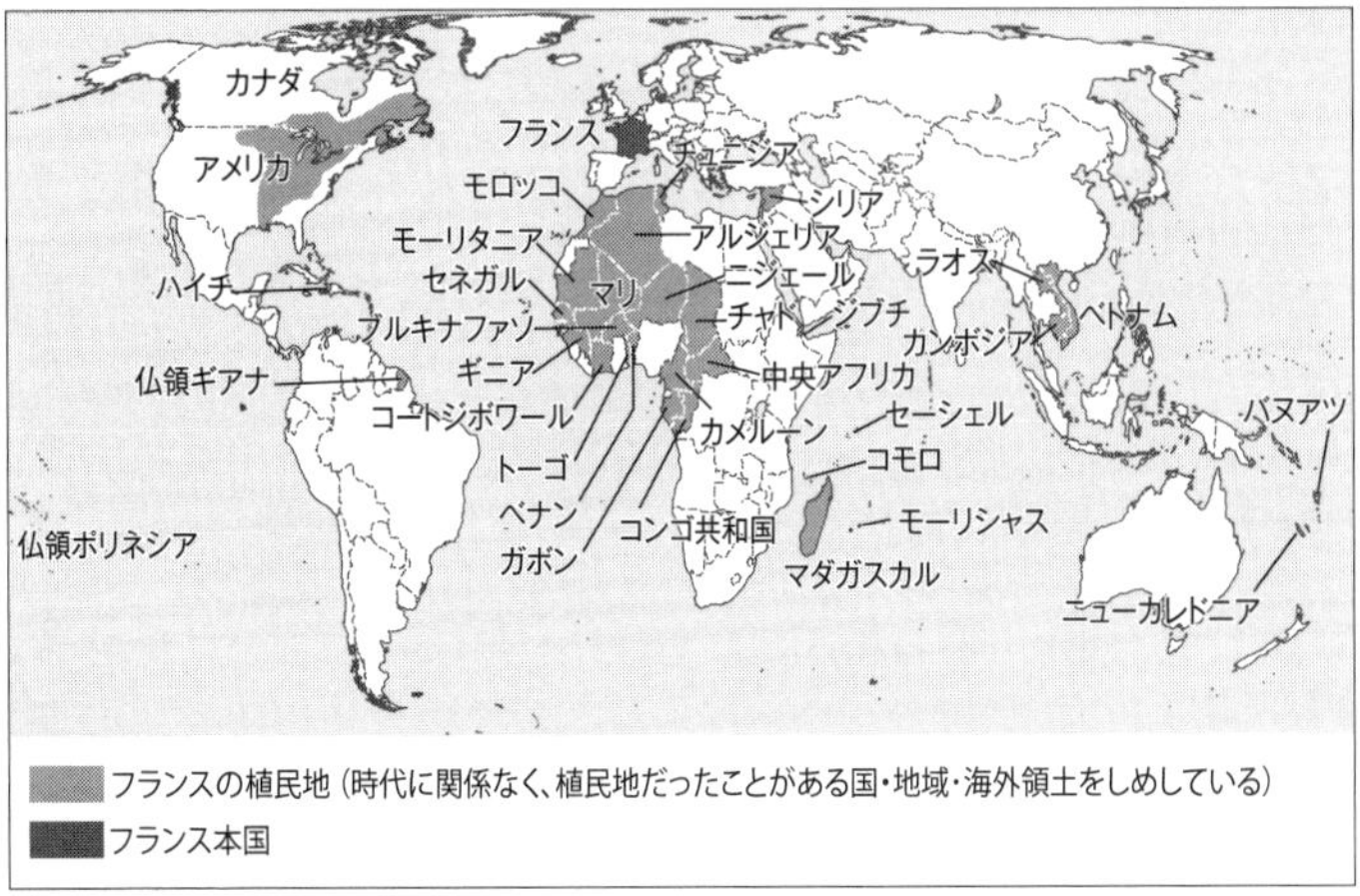

地図④—フランスの主な植民地

後、フランスは一時全島を領有するがハイチの独立の際に撤退)。さらに、カリブ海域にあるいくつかの小さな島を現在も領有しているのです。

これらの植民地の中で大変な悲劇が起きたのがハイチなんですね。このカリブ海にあるハイチが、実は、中南米でいちばん早く独立を果たしました。1804年のことですと言えば、フランス本国で起きた何かを連想するでしょう?

――フランス革命の影響ですか?

正解です。つまり、フランス革命の理想を自分たちも実現しようとして、カリブ海のハイチがフランス軍を破り、史上初の黒人共和国となるんです。この時、フランス本国ではナポレオンが実権を握っていました。ナポレオンはハイチの独立を承認せず、時が流れます。そして、ナポレオンが死んだあとの1825年にフランスはハイチの独立を承認しました。

この時、フランスはハイチに対して、「独立を認めるから、プランテーション(大農園)の経営者たちがこれまで使った多額の費用を賠償金として支払え」という難題を出すんですね。困ったハイチはアメリカを味方につけて独立を承認してもらおうとしましたが、アメリカはこの時まだ黒人奴隷制を続けていたので、ハイチの独立を承認しませんでした。

孤立したハイチは、やむなくフランスの要求を受け入れ、フランスに多大な賠償金を払い続けたのです。支払いが終わったのは独立から58年後の１８８３年でした。ハイチはその後も豊かになれず、貧しいままです。そういう貧しさの中で、次々と大統領が変わったり、内戦が発生したりという、そんな悲惨な状態が続きました。そこに目をつけたアメリカが介入し、親米傀儡《かいらい》政権を立てて、１９１５〜３４年まで軍事的に支配していたこともあります。

21世紀になってもハイチの混乱は収まらず、２０２１年にジョブネル・モイーズ大統領が武装集団（ギャング）によって殺害されたあと、大統領は空席のままです。現在は、複数の武装集団が支配する無法国家となっていて、日本の外務省はハイチ全土の危険情報をレベル４（退避勧告）にしています（２０２３年8月現在）。

一方で、カリブ海、インド洋、南太平洋にあるフランスの植民地の島々は、そのまま植民地であり続けていました。すると第二次世界大戦後、フランスは、それらの地域を植民地ではなく「海外県」として認めることになりました。海外県ではフランスの憲法や外交政策、軍事政策が適用されますが、それぞれの自治を認め、独自の法律をつくってもいいということになったのです。さらに、フランス本国から支援をするというかたちに変わったんですね。

結果的にものすごく皮肉なことなのですが、いち早く独立を果たしたハイチは貧しいままで治安も悪く、植民地からフランスの海外県になった地域は相対的にかなり豊かな暮らしができている。そして、フランスの国民議会に代表を出すことができるようになっているのです。

独立したハイチを旧宗主国のフランスは賠償金の取り立てで苦しめ、20世紀に強大になったアメリカは傀儡政権を置いて支配し、ハイチの発展を阻みました。結局、現在のハイチの惨状は欧米支配の深い爪痕ではないのか。この問題は、現在も欧米のメディアで議論されているのです。

日本に移民を増やすかは、一人ひとりが考えるべきこと

――フランスって、今も海外県があったりして、いろんな人種がいることに割と理解があるんじゃないかと思っていたのですが、いわゆる偏見や差別はあったりするんですか？

少なくとも差別意識を持っている人はいる、ということだよね。前にも話しましたが、フランスだって、実にいろんな人たちがいるわけです。「フランスは人権大国である。フランス革命をした。人権を大切にしなければいけない。だから、みんな海外県の人も平等に扱わなければいけない」というのがそもそも国の方針だよね。それを本当にそのとおり

だと実践している人もいれば、中には、肌の色が違う、フランス語が十分に話せないということに対する差別意識を持っている人たちはいますね。それはどこの国に行っても同じことですよね。よろしいですか。

——このところインド出身の人が世界的な企業のCEOになったりして活躍している中で、フランスでも移民出身者が活躍している例はありますか。

ああ、わかりました。それでいうと、エムバペのようなサッカーの選手はそういう人たちでしょう。それから、第1章で話しましたが、サルコジ元大統領はもともとハンガリーからの移民の2世でしょう。あるいは、オランド元大統領だってオランダからの移民の家系でしょう。だから、そういう意味で言うと、いくらでもいます。つまり、フランスには昔からたくさんの移民が来て、フランス人になっていますから。

実は、フランスでは18世紀後半から出生率の低下が始まり、19世紀半ば頃に労働力不足を補うために外国人に依存するようになっていたのです。労働者というイメージではありませんが、ピアノの詩人と呼ばれたフレデリック・ショパンや、放射線の研究で2度ノーベル賞を受賞したマリー・キュリーは、いずれもポーランドからの移民ともいえます。

アメリカだと新たに移民として来たインド系の人が活躍しているな、と目立つのですが、フランスの場合はわざわざ、もともと移民だっていう認識を持たずに、受け止められているわけだね。だから、さまざまな分野で活躍している人のうちのかなりが実は移民のルーツを持っているのだろうけど、いちいち、あの人はどこそこ系の移民だよねとは言われないということです。

――フランスと旧植民地の国の人たちは、お互いのことをどう思っているのかな、と疑問に思いますが、どうなんでしょう？

本国との関係だと、本当にいろいろでしょう。フランスの植民地だったためにひどい目にあったと思っている人がいる一方で、フランスの植民地だったおかげで発展することができた、あるいは、フランスに留学することができたと思う人がいるでしょう。フランスの植民地だったことによって、チャンスが広がったと考えている人もいるんだということです。これは本当に一概には言えないと思いますね。

たとえば、台湾は日本の植民地でしたが、台湾には親日の人たちがかなり多いわけでしょう。一方、韓国も北朝鮮も日本の植民地だったけれど、そのことに対する反発がすごくあったりするわけだよね。それぞれの国によって、大きな違いがあるのが現実でしょう。

――フランスって、いろいろな方針を決めて、たくさん移民を受け入れて、それで労働者を増やしているじゃないですか。日本は遠回しに移民を認めている感じですよね。日本は、いろんな分野の技術者がどんどん減っているという問題を解決するために、たとえば、二重

国籍を容認すべきだと思いますか？

それをするかどうかはまさに君たちが決めることだと思うんだよね。私は、あえてこうすべきだということは言わないことにしています。もちろん、自分の考えを持っていますが、こうすべきだと言ってしまうと、なんとなく、そうなんだと思って、私の言うことが正しいと思ってしまう人たちがいるでしょう。民主主義ってそうじゃないんだよね。

それぞれの人が自分の頭で考えるべきことなので、私はなるべく客観的に、今、日本の移民政策はこうなっているよ、こういう問題があるよと説明していますけど、どうあるべきなのかは国民一人ひとりが決めることです。自分で何も考えないで従ってしまう人たちが増えることを私は恐れているので、あえて言わないのです。ぜひ、若い君たちが一人ひとり自分で考えてみてください。

第5章

「教育のエリート主義」から見るフランス

バカロレアはどんな試験か

Q フランスの教育について知りたければ、「バカロレア（Baccalauréat）」がどういうものか理解しておく必要があります。バカロレアとは何か、誰か説明してくれますか？

――フランスの高校卒業資格を取るための国家試験で、これに受かれば高校卒業を認められて、大学に入学できます。

はい、そのとおりですね。暁星に通う君たちなら、バカロレアのことをよく知っているだろうと思いました。バカロレアはリセと呼ばれるフランスの高校の卒業認定、および大学入学資格試験のことですね。日本の場合、高校の卒業認定はそれぞれの高校が行います。たとえば、君たちが卒業する時には、暁星高校が高校卒業の資格があるかどうかを認定し、卒業証書を授与するわけだよね。

それに対して、フランスではバカロレアという全国一斉の試験を受けて、国家として卒業を認定するかどうかを決めるのです。バカロレアに受かって初めて高校卒業の資格が得られます。合格すれば、基本的に国内のどの大学にも自由に行けるという、ここが日本と大きく違うところですね。ヨーロッパでは、フランスと同じように、高校卒業資格認定試験が行われる国が多いのです。ドイツにも「アビトゥーア」という試験があります。

実は、日本でもバカロレアのような高校卒業資格認定試験を導入したほうがいいという議論があるんですね。高校を卒業しても、それに見合う学力や常識を持っていないとか、どうせ卒業できるからと勉強をしないという、そういう高校があるのが問題になっていて、高校卒業資格認定試験をするべきだという意見があるのです。

ただ、日本の場合は、大検《だいけん》（大学入学資格検定）といって、高校に行くことができなかったり、中退せざるをえなかったりしたけれど、大学受験の資格を取りたいという人のために、高校レベルの学力があるかどうかを判定し、合格者には大学入学資格を与える国家試験がありました。〝ありました〟と言ったのは、大検が２００５（平成17）年から「高卒認定試験」（正式名称は高等学校卒業程度認定試験）と名前を変えて、多少の変更を加えて改めて実施されるようになったからです。

大検改め「高卒認定試験」は、バカロレアの「中等教育修了と高等教育入学資格試験」とは、まったく異なりますので注意してください（フランスでは中・高が中等教育、大学からが高等教育に区分される）。日本の高卒認定試験は、さまざまな理由で高校を卒業していない人が受験し、高校卒業者と同等以上の学力があることを認定してもらう試験です。

高校で学んで通常どおり卒業する人は受験する必要がありません。

一方、フランスのバカロレアは、高校で学んだ人たちに、それだけの学力があるかどうか、高校卒業を認めるかどうかを判定する試験です。試験に合格しない限り、高校卒業の資格が得られないし、大学に入学できないという仕組みです。

そして、フランスの大学はほとんど国立大学なんですね。ですから、学費もとても安いです。厳密に言うと、学費は無料で、年間約2万円の学籍登録料と約1万円のCVEC（学生生活およびキャンパスのための納付金）を負担するだけです。文部科学省の資料によれば、2020年の負担金額は262ユーロ（約3万1800円／当時の円換算）。現在は当時より円安なので3万9000円くらいになっていますが、それにしても安いですね。

日本の国立大学の年間授業料は現在53万5800円が標準額です。学部による大きな違いはありません。学費は国が定めるのですが、大学の裁量で標準額の2割増までの金額を設定することができます。私がいる東京工業大学は10万円値上げしちゃったんですけどね。私学の場合はもっと高くて、年間授業料の全国平均が約93万円です。

フランスでは、バカロレアに受かれば、どこの大学にも行ける。となると、人気のある大学に学生がいっぱい集まってしまうのではないかと思うよね。でも、憧れだけで入学しても、進級して卒業することはできません。進級試験ごとに学生が減っていく、という図式になっているので、結果的に、自分の成績に見合った大学の学部を選ぶことになります。それでも希望者が定員を超えた場合は、成績のよい順に入学を認めているそうです。

Q 日本の大学入学共通テストの問題は誰がつくるか知っていますか？

――いろんな大学の先生たちがつくっているのではないですか。

はい、そうですね。大学入学共通テストというのは、大学の先生たちが入試問題をつくるわけですね。全国の国公私立大学から派遣された先生たちが作成しています。一方、バカロレアは高校の先生たちがつくります。つまり、高校の卒業資格があるかどうかを見るわけですから、高校の先生たちの代表によって試験問題がつくられるというところが大きな違いですね。

バカロレアの試験は高校3年の学年末（6月）に1週間にわたり約10科目の試験が行われてきましたが、2021年から普通バカロレアは5科目（フランス語、哲学、専門科目2、口頭試験）となり、そのほかの科目は学校ごとに行われる「共通試験」の点数をもとに内申点で評価されるようになりました。彼らにとって国語にあたるフランス語のみ、高校2年生の終わりに受験することになっています。

最終試験が高校3年の6月に行われて、7月に合否判定が出ます。受験者の氏名と合否

図表⑪—**普通バカロレアのスケジュール**

月	9	10	11	12	1	2	3	4	5	6	7	8
高校2年	新学期				**共通試験**			**共通試験**		**フランス語試験**	夏休み	
高校3年	新学期			**共通試験**			**専門科目試験**			**哲学試験** **口頭試験**	合格発表・卒業	
大学	入学											

試験の点数をもとに、内申点がつけられる

各学校で行われる共通試験

バカロレア

共通試験とバカロレアの両方の成績で合否が決まる

2021年、コロナ禍の中で行われたバカロレアの様子｜写真提供：Alamy / PPS通信社

結果は、国民教育省のウェブサイトで誰でも確認できます。国家試験の結果は公表すべきものと考えているのかもしれません。バカロレアに合格すれば、9月が新学期なので、9月から大学に入学することになります（右ページ図表⑪）。

ところで、フランスのバカロレアと、よく間違われるのが「国際バカロレア（International Baccalaureate）」です。フランスのバカロレアとは、まったく別のものですが、混同している人がいるかもしれませんので、説明しておきましょう。「国際バカロレア」は、スイスのジュネーブに本部を置く非営利組織の国際バカロレア機構（1968年設立）が提供する3～19歳の国際的な教育プログラムのことです。多様な文化の理解と尊重の精神を通じて、よりよい、より平和な世界を築くことに貢献する人材の育成を目指すとしています。その中でディプロマと呼ばれる高校課程に相当するプログラムの修了試験を受けて所定の成績をおさめると、国際バカロレア資格と成績証明書を取得することができます。この国際バカロレア資格は、世界各地の大学に通用する入学資格になります。

日本の文部科学省がこの教育プログラムの普及を進めていて、国際バカロレアのプログラムに沿った指導をしていると認定された日本の小中高校が200校以上あります。そのため、バカロレアという言葉を以前より見聞きする機会が増え、両者を混同してしまうのかもしれませんが、フランスのバカロレアとは異なるもので、一切関係もありません。

「哲学」の試験に4時間かける

フランスのバカロレアには、普通バカロレア、技術バカロレア、職業バカロレアの3種類があります。高校が普通高校か専門高校かによって、それぞれ受けるコースが違うと考えてもらえばいいでしょう。普通バカロレアは通常の大学受験生向け、技術バカロレアは職業に結びついた教育機関に進む人向け、職業バカロレアは高校で職業教育を受けた生徒向けになっています。

普通バカロレアには、さらに文科系、理科系、経済社会系の三つのコースがあります。技術バカロレアは、将来選びたい仕事の分野によって、農業、工業、経営などのコースに分かれています。音楽やダンス、デザイン、ホテルや外食産業に関する仕事をしたい高校生たちも技術バカロレアを受験します。

Q バカロレアの試験科目には、日本にはない科目があります。何か、わかりますか？

――哲学？

そう、哲学です。よく知っていたね。

――**哲学の試験があって、とても難しいと聞いたことがあったので……。**

はい、わかりました。その難しい哲学の問題には、あとで挑戦してもらいますからね(笑)。普通バカロレアは、文科系だけでなく理科系コースの高校生も同じ哲学の試験を受けます。また、技術バカロレアにも哲学の試験があります。哲学の試験があるところが日本の高校や大学とまったく違うところですね。

そして、哲学の試験があるということは、高校で必ず哲学の授業があるということですね。高校3年生の時に、普通科で週に4~8時間、哲学の授業を受けます。

つまり、フランスでは、哲学的な思考が非常に重要だと考えられているわけです。10代の若者がこれからの人生を生きていくうえで、自分の理想や生き方を考える時間をしっかり設けているのですね。日本の授業だと、哲学は倫理社会の中で少しだけ勉強する。あるいは、哲学者の名前とそれぞれの哲学者がこんなことを言ったという理論を勉強する程度でしょう。フランスでは、哲学の授業が本当に自分の身についているかどうかを試験するというわけですね。

この試験時間の長さが、またすごいのです。4時間なんだよね、朝の8時から正午までの4時間の記述式です。答案用紙が渡されて、三つある問題の中からひとつを選んで、4

図表⑫ーバカロレアの試験問題(2022年)

普通バカロレア 哲学問題

以下の3問の中から1問を選び、解答せよ。

1 Les pratiques artistiques transforment-elles le monde?
(芸術的実践は世界を変えるのか?)

2 Revient-il à l'État de décider de ce qui est juste?
(何が正しいかを決めるのは国家の役割か?)

3 Expliquer le texte suivant : un extrait de Cournot, Essai sur les fondements de nos connaissances et sur les caractères de la critique philosophique (1851).
(クールノー[*1]『我々の知識の基礎と哲学的批判の特徴に関する論考』(1851年)からの以下のテキストを解説せよ)

＊1…アントワーヌ・オーギュスタン・クールノー(1801〜77年) フランスの数学者・経済学者・哲学者。数理経済学の創始者といわれる。経済学に限界概念と数学的分析法を導入した。著書に『富の理論の数学的原理に関する研究』などがある。

技術バカロレア 哲学問題

以下の3問の中から1問を選び、解答せよ。

1 La liberté consiste-t-elle à n'obéir à personne?
(自由とは誰にも従わないことなのか?)

2 Est-il juste de défendre ses droits par tous les moyens?
(あらゆる手段を用いて自分の権利を守ることは正しいのか?)

3 Expliquer un texte de Diderot, extrait de Encyclopédie (1751−72).
(ディドロ[*2]『百科全書』(1751〜72年)からの一節を解説せよ)

＊2…ドゥニ・ディドロ(1713〜84年) フランスの思想家・作家。数学者で哲学者のダランベールとともに執筆・監修した『百科全書』は、18世紀の百科事典で、フランス啓蒙思想の集大成と位置づけられている。

時間かけて解答を書けという、ものすごい知力・体力勝負の試験になるわけですね。たとえば、どんな問題が出るのかを見てみましょう（右ページ図表⑫）。普通バカロレアだから、普通高校の場合ですね。さあ、みんなちょっと挑戦してみようか。

3問の中から1問を選び、解答せよとあります。「芸術的実践は世界を変えるのか？」「何が正しいかを決めるのは国家の役割か？」「クールノーの『我々の知識の基礎と哲学的批判の特徴に関する論考』からの以下のテキストを解説せよ」。

3番めの問題は、技術バカロレアの問題でも、ディドロの『百科全書』からの一節を解説せよとあるのと同じ出題意図です。これらは高校の哲学の授業の中で扱われたものなんですね。それをちゃんと自分の身につけているかどうか確認をするわけです。3問のうち1問は、高校で習ったことをもとに書けるような問題にして、それ以外の2問はまさに自分の頭で一から考えて解答を書かなければいけない、ということです。

哲学は正解のない思考実験

Q たとえば、「芸術的実践は世界を変えるのか？」と聞かれたら、さあ、どう答えますか？

——……。

突然、こんな哲学の質問を振られても困ってしまうよね（笑）。本来は哲学を授業で習ったうえで、哲学者の思想を織り込みつつ答えなければならないのですが、日本では授業で習わないから、ここでは自分の言葉で考えるところから始めてみましょう。

まず、「芸術的実践は世界を変えるのか？」という問いかけに対し、イエスかノーか、どちらを選ぶか、それを考えなきゃいけないよね。イエスなら、具体的にどのようにすれば世界を変えることができるのかということを考えなければいけない。反対にノーを選ぶなら、変えることができない理由を論理的に説いていかなければいけません。

つまり、ここで大事なことは、日本の試験には必ず正解があるでしょう。でも、この場合、答えはどちらでもいいのです。どちらであっても、論理的にきちんと考えられていれば、それなりの点数が与えられます。イエスでもノーでもいいのですが、それを論理的にどれだけ説くことができるかによって、成績の評価が分かれるわけです。

2番めの質問も手ごわそうだね。「何が正しいかを決めるのは国家の役割か？」。これも、国家の役割だって答えてもいいし、国家の役割ではないんだって答えてもいいわけだよね。その理由を論理的に書けるかどうかが重要です。3番めは、そもそもみんなこの論考を読んだことがないだろうからやめておきましょう。

では、「芸術的実践は世界を変えるのか？」と聞かれたら、どう答えるのか。じゃあ、君からいこうね（笑）。

――芸術的実践ってどういうことですか？

それはね、音楽でもいいし、絵画でもいいし、あるいは、バレエでもいいよね。芸術ってさまざまな種類があるでしょう。たとえば、画家のピカソが有名な『ゲルニカ』という絵を描いた。その絵によって、スペイン内戦（1936～39年）の時に反政府軍を支援するドイツがいかなる無差別爆撃をしたのかということを知らしめ、人々の心を動かし、それによって平和運動が広がっていった。

そう考えると、芸術的実践は世界を変えるって言えるかもしれないよね。たとえば、ウクライナの爆撃を受けたところに絵を描く。絵を描くことによって注目されるなんていうこともあるわけでしょう。私の答えを言っちゃったな（笑）。まあ、たとえば、そういうことだよね。

絵画だけではありません。音楽で人々の気持ちを変えることができるかもしれないでしょう。ヨーロッパには、歴史上さまざまな迫害を受けてきた国々があります。チェコの作曲家スメタナの連作交響詩『わが祖国』の第2曲『モルダウ』は、モルダウ川の流れの様子や景色を音楽で表現することによって、チェコがどんなにつらい歴史を経てきたのかということを人々に考えさせるわけでしょう。フランス国歌の『ラ・マルセイエーズ』は、そもそも革命の真っただ中でつくられた兵士を鼓舞する歌で、過激な歌詞によって人々の心を奮い立たせたわけだよね。ついつい私の答えをまた言っちゃったな（笑）。

こういう具合に、芸術的実践は世界を変えると答えることができるかもしれないけど、反対に、変えられないと書いてもいいわけだ。さあ、どうですか？

――広島とか長崎の原爆記念日の式典で歌を歌ったりするじゃないですか。戦争の恐ろしさや悲惨さに心が痛んだ時、音楽を聴くことで落ち着くところがあるから、世界を変えるというとちょっと大げさかもしれませんが、人間の気持ちは、音楽っていうか、芸術で安らいだりするのかなと思います。

なるほどね。広島には『青い空は』という平和を祈念する歌がありますね。「青い空は青いままで　子どもらに　伝えたい」という、有名な歌詞があって、コーラスで歌ったりするわけだよね。それによって人々の気持ちを揺るがすことがありえるということね。だから、音楽にも実は力があるんだという考えですね。

はい、じゃあ、その隣にいこうか。まだ全然発言をしていない君、どうですか？

――今、横の子に全部答えられてしまいました（笑）。

わかった、わかった（笑）。じゃあ、ほかに、自分ならこう答えるという人は？

——音楽とか絵には、情報を伝える力があると思うんです。池上先生がさっきおっしゃったように、戦争の悲惨さや平和の大切さを歌にしたり、絵にしたりして、多くの人に広めることができるじゃないですか。確かに、世界を大きくは変えられないかもしれないですけど、いろんな人に、戦争はいけないという知識がどんどんついていきます。その知識が根づいて、広がっていけば、結果として世界は結構大きく変わったりするのかなと思います。

はい、わかりました。普段、あんまりこんなことは考えないよね。でも、日常と切り離されたことを考えるのは、すごく大事だと思うんだよね。では、次の問題にいきましょうか。「何が正しいかを決めるのは国家の役割か？」。誰が答えるんだろうって気になって、一生懸命振り返っているあなた、答えてください（笑）。

——じゃあ、「役割ではない」にします。

おっ、否定するわけね。仮に、国家の役割ではないとします。その理由は？

——例を挙げると、中世の魔女狩りや地動説の排除などは、国家のいろんな人の思惑で判断して誤った結果となりました。真理というものを決める国家の能力は低いと思うので、これは違うかなと。

わかりました。それで解答としてはとりあえずはいいと思うんだけど、じゃあ、何が正しいのかを決めるのは誰なの？

――**科学者の人。**

科学者？　たとえば、道徳的な判断を科学者に任せる？

――**いや、それは違います。それは個人個人が……。**

個人でね、じゃあ、個人が決めたことは正しいだろうか？

――**……（苦笑）。**

ごめんね（笑）。今、君が最初に言ったことは、そこそこいいんだよね。何が正しいかは国家が決めることではない。そのあと、具体的に魔女狩りの話だったり、地動説の話だったりを入れているでしょう。具体的な話を入れたのはすごくいいよね。だけど、それだけで十分かというと、実は決して十分ではない。つまり、国家の役割ではないと言った段階で、じゃあ、それは個人の役割なのか、個人がなぜ何が正しいかを判断できるのか、それはどのように担保されるのかということまで考える。そういう思考訓練というか、実験が必要なのかなって思うんですね。

定義を示して論点を明確にする

次に、技術バカロレアの問題にいってみましょうか。「自由とは誰にも従わないことなのか？」」。さあ、難しいね。いきなり答えを出さなくてもいいです。みんなで考えてみようか。まず、どういう視点からいくといいかな。自由とは誰にも従わないことなのか？イエスかノーじゃないな。ウィ（oui）かノン（non）か、どっちですか（笑）。

――**僕はノンだと思います。**

まずはノンという結論を出しました。その理由は？

――**自由っていろいろあるじゃないですか。僕が最初に思った自由って、自分がやりたいことがやれるみたいなことなんですけど……。**

なるほど。そもそも自由とは何かを考えないといけないね。真の自由とは何か、それから、自由、平等、友愛（フランスの標語）っていうけど、その自由って、いったいなんなのだろうか。あらゆることが認められるならば、無政府状態になる。でも、決して無政府状態であってはいけないのであれば、自由にも制限がかからなければいけない。じゃあ、何をもって制限をかけるのかということになってくるよね。これはちょっとヒントを出しちゃうけど、社会科で日本国憲法を勉強したでしょう。

日本国憲法の第13条に「すべて国民は、個人として尊重される。生命、自由及び幸福追求に対する国民の権利については、公共の福祉に反しない限り、立法その他の国政の上で、最大の尊重を必要とする」とあります。公共の福祉に反しない限り自由だよと、日本国憲法は規定しています。では、「公共の福祉に反しない限り」というのはどういうことなんだろうか。それを突き詰めていくことが、まさに、無制限の自由はないんだということを考えるきっかけになるでしょう。何かを取っ掛かりにして考えていくことが大事なんだということだよね。

じゃあ、問題を変えて、その後ろの人にいこうか。2番めの問題で「あらゆる手段を用いて自分の権利を守ることは正しいのか？」。ウィか、ノンか。

――ノンです。

ノン。じゃあ、その理由は？

――自分の権利っていうのがどういうことを表わすのか、よくわからないんですけれども、あらゆる手段っていうのが結構広い範囲のことを指すなら、人殺しとかも該当することになるのかなと思って、えーっと……。

脳みそをいっぱい使う感じがするでしょう。脳みそから汗が出るっていう言い方をするんだけどね。君は「権利ってよくわからない」と言ったでしょう。何かを論じる時には、定義を考えることが大切なのです。自分の権利とは何かっていうことを自分なりに定義してみればいいわけ。

君はノンって答えたわけだよね。ノンって答えたということは、意訳すると、すべての権利を主張してはいけない、ということになる。その時の自分の考える権利とは何か、自分なりにこれを定義すればいいわけだ。つまり、無制限の、人に迷惑をかけようが、なんでも権利を主張することができるという意味での権利は認められないとか、自分なりの定義を示したうえで、それについて論点をはっきりさせていく。記述式問題で答えを書いていく場合、ぜひそういうふうに定義を明確にして考えてもらえればなと思います。ありがとう。じゃあ、隣の君、いこうか。

――僕はノンだと思います。

はい、その理由は？

――みんなが自分を優先していると、やっぱり、治安は崩壊しちゃうし、自分の権利も大事だけど、社会で人と共同生活をしていくうえで、譲り合いみたいなものも大事かなって思います。

はい、わかりました。多分、そういう方向で考えていけばいいでしょう。近年、このバカロレアの哲学の問題が日本でも注目されるようになってきました。大学によっては、入試の際に記述式問題や小論文を出すことが増えています。日ごろから思考実験の練習をしていくと、記述式問題に答えやすくなるでしょう。ぜひそういう訓練をしてもらえればなと思います。

逆に言えば、フランス人は、高校を修了する段階でこういう問題に4時間かけて立ち向かっているわけだよね。とてもレベルが高いんだとびっくりするかもしれませんが、実際にはみんな見事に答えているわけではなく、そんなに出来がいいわけではないそうです。哲学の試験の点数は実は低くて、ほかの科目でカバーして、なんとか合格するという人がいっぱいいるということを知れば、ちょっと安心できるかな。

でも、こういう頭の訓練をして、大学に入ってきているわけでしょう。フランスの政治家や経済人はみんな高校で哲学の授業を受けているわけだよね。とても日本の政治家では太刀打ちできないいんじゃないかなと、つい思ってしまうのですが、国際的な標準でいうと、論理的な思考力が求められるということですね。

君たちはいずれフランス人とさまざまなかたちで付き合ったり、あるいは、ビジネスをしたりするかもしれない。その際に、こういう訓練を受けている人たちと対等にやっていくのは大変なことだよね。

ちなみに、アメリカでは高校卒業資格の認定試験はありませんが、それぞれの大学に入る時に、これと同じようなレベルの問題に立ち向かわなければいけなかったり、大学で日々こういう問題を解かなければいけなかったりするのです。

このグローバル時代に、国際的に活躍しようと思っている君たち、とりわけ、フランス語を選んで世界で活躍しようと思っている君たち、世界にはさまざまなライバルがいて、こういう試験を通して成長してきているんだと考えると、がんばってくださいと言うしかないですけどね。時々、ものごとを論理的に突き詰めて考える訓練をして、国際レベルで議論できる力を養ってほしいなと思います。

余談ですが、記述式問題といえば、チャットGPTが話題になっていますね。チャットGPTはAI（人工知能）が自然な文章をつくってくれるチャットサービスのことです。アメリカのオープンAI社が2022年に開発し、急速に利用者を伸ばしています。

私は、複数の大学で授業をして、試験をして、採点をして、単位認定を行っていますが、チャットGPTを使えば、レポート問題などは簡単に答えが出てしまうわけだよね。だから、チャットGPTで答えられないような問題を出さなければいけないというのが、今、大学の先生たちの大きな課題になっています。先生たちにとっても課題ですが、これから君たちが大学に入って、あるいは、社会に出るという時に、AI技術をどう活用するのかは大きな問題になると思いますね。

エリート養成校のグラン・ゼコール

Q フランスというのは、実はとてつもないエリート主義の国だと聞いたことがありませんか？

――あります！　日本以上の学歴社会だそうですが、高等教育などの学校制度がよくわかりません。

はい、そうだろうね。フランスには大学とは別に、ものすごいエリートが行く学校があると聞いたことがある。でもよくわからない、という人が多いと思います。それは、日本とはまったく違うシステムだからです。

「フランスの教育制度」の図を見てください（左ページ図表⑬）。日本の高等学校にあたるリセのあと、バカロレアに受かれば、全国どこの大学でも行くことができるよね。だから、大学の入学試験はありません。

ところが、大学の左側に「グラン・ゼコール」というのがあるでしょう。グラン・ゼコールは、各分野のエリートを養成するために設立された高等教育機関の総称です。フランスには、フランスという国を率いていくためのエリートを養成しなければいけないという

図表⑬—**フランスの教育制度** | 出典：文部科学省HPをもとに作成

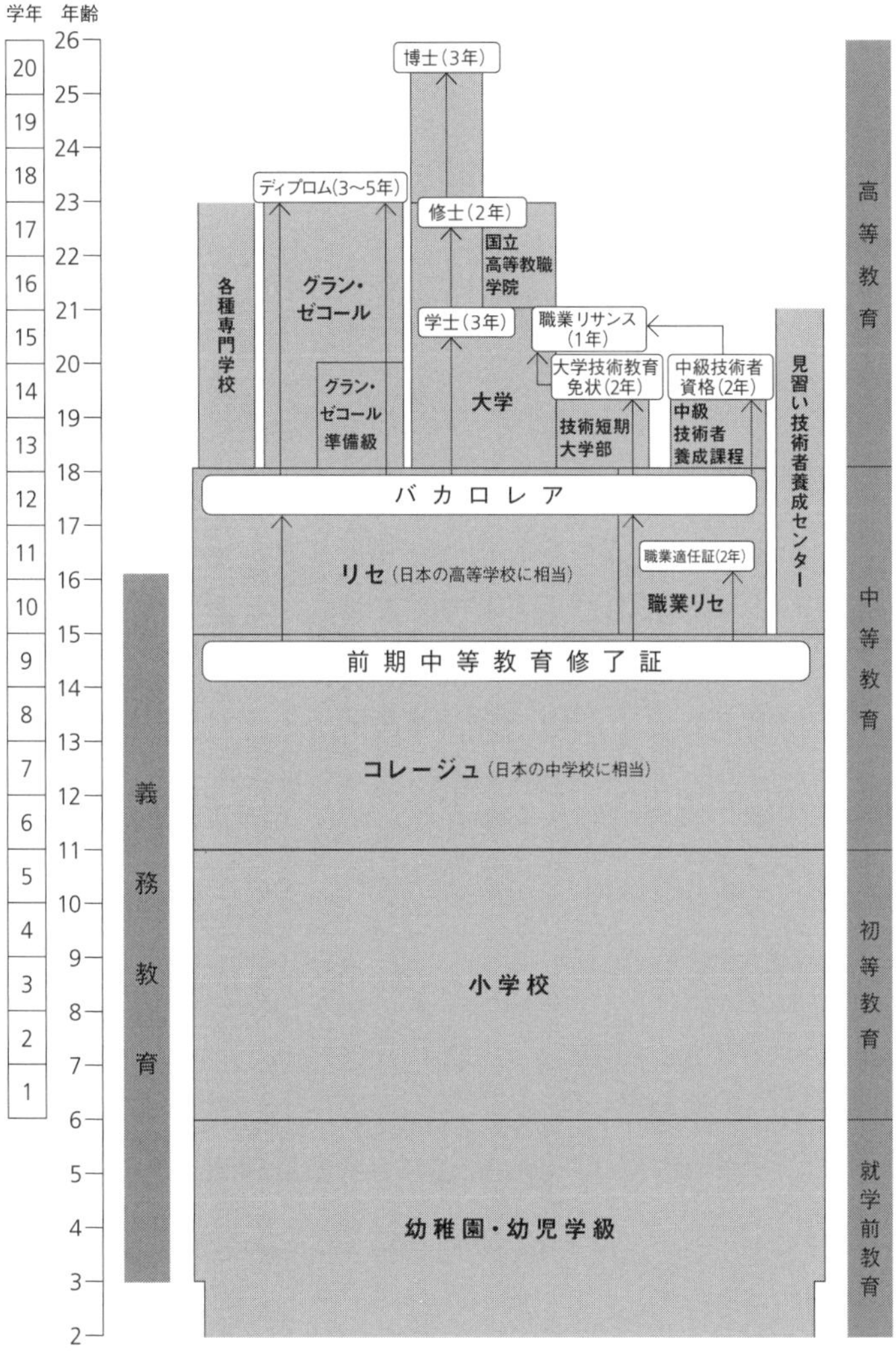

考え方があって、それを担っているのがグラン・ゼコールなのです。

大変なエリート学校ばかりで、入学するには、バカロレアを合格していても入学試験に通らなければなりません。グラン・ゼコールの学校への入学を目指す人は、高校に併設された「グラン・ゼコール準備級」と呼ばれる準備学級で2〜3年間受験準備をして試験に臨みます。

──大学生はエリートではないのですか？

大学はバカロレアに合格していれば入れるので、グラン・ゼコールに比べて格下で大衆的だという位置づけなのです。私たち日本人には、ちょっとわかりづらい感覚ですね。

そして、グラン・ゼコールと呼ばれる学校にもいろいろあります。「主なグラン・ゼコ

図表⑭─**主なグラン・ゼコール*とその出身者**

理工科学校 École polytechnique	アンリ・ポアンカレ（数学者・哲学者）、ジスカール・デスタン（元大統領）、カルロス・ゴーン（元・日産会長）
高等師範学校（ENS） École normale supérieure	サルトル（作家、哲学者）、パストゥール（化学者、細菌学者）、ロマン・ロラン（作家）、トマ・ピケティ（経済学者）
パリ国立高等鉱業学校 École nationale supérieure des mines de Paris	アルベール・ルブラン（元フランス大統領）、アンリ・ポアンカレ（数学者・哲学者）、ジャック・アタリ（経済思想家）、カルロス・ゴーン（元・日産会長）
国立行政学院（ENA、2021年末に閉校） École Nationale d'Administration	ジスカール・デスタン（元大統領）、ジャック・シラク（元大統領）、フランソワ・オランド（元大統領）、エマニュエル・マクロン（現大統領）、ジャック・アタリ（経済思想家）、片山さつき（国会議員、元大蔵・財務官僚）、北村滋（元国家安全保障局長、元警察官僚）、兼原信克（元内閣官房副長官補、元外交官）
高等商業学校（ESSEC） École Supérieure des Sciences Économiques et Commerciales	フィリップ・ソレルス（作家）

*フランスにはグラン・ゼコールが200校以上ある

ールとその出身者」の表（右ページ図表⑭）には、有名な上位校が挙げられています。理工科学校、高等師範学校、これはまさに高等教育機関の教員や研究者を養成するわけだよね。あるいは、パリ国立高等鉱業学校、国立行政学院、高等商業学校、それぞれの卒業生にどんな人がいるのかというのが出ています。歴代大統領や省庁・企業の幹部、著名な学者、作家など、そうそうたる顔ぶれですね。

第4章で日産自動車の会長だったカルロス・ゴーンの国籍について話しましたが、彼は理科系の最高峰の理工科学校を卒業後、さらにパリ国立高等鉱業学校も卒業している大変なエリートです。理工科学校は、日本でもエコール・ポリテクニークの名称で理科系エリート校として知られていますが、ここを卒業して会社に入ると最初から部長級のポストが約束されています。

ゴーンも24歳でパリ国立高等鉱業学校を卒業してミシュランに入社すると、30歳の時に南米ミシュランの最高執行責任者（ＣＯＯ）に、35歳で北米ミシュランの最高経営責任者（ＣＥＯ）になっています。42歳でフランスを代表する自動車メーカーのルノーの上席副社長にヘッドハンティングされて、ルノーと日産が資本提携したのを機に来日。１９９９年に日産のＣＯＯに就任した時は45歳でした。２年後にＣＥＯ、その後会長になっています。

日本風に言えば、新入社員がいきなり部長級で入ってきて、日本の中間管理職の年齢で国を代表するような大きい会社のトップに立っているというイメージです。日本ではちょっと考えられないエリート主義ですね。

現職のマクロン大統領は、グラン・ゼコールの中でENA《エナ》の略称で有名な国立行政学院（École Nationale d'Administration）の出身です。ここは本当にエリート中のエリートで、1学年約80人しかいません。卒業生は「エナルク」と呼ばれ、フランスの政財界の要職を占めています。日本に同じエナ（ena）という名前の進学塾があるでしょう。つい、超エリート校の国立行政学院のENAを意識して名づけたのかなと思ってしまいました（笑）。

マクロンは、国立行政学院を卒業すると経済財務省で財務監察官に就きます。4年後には投資銀行のロスチャイルド銀行に転職し、大型の買収や出資を多く手掛けて副社長格に昇進。当時、まだ30代前半です。銀行を辞めたあとに政界に入り、社会党のオランド政権のもと36歳で経済産業デジタル大臣に。そして39歳で史上最年少のフランス大統領に就任し、現在2期め。世界の大国のリーダーが高齢化する中、まだ45歳の若さです。

彼らのようなエリートの経歴を見ると輝かしいばかりですが、一方で批判もあります。グラン・ゼコールに入るようなエリートになれるのは、親の収入が高く、子どもの頃から勉強ができる環境に恵まれているからだと、エリートが経済的階層のもとに再生産されていく現状に怒りが向けられているのです。批判を裏付ける調査もあります。フランスのメディアによれば、ＥＮＡの学生の72％は親が管理職以上で、農家や職人は10％にとどまっています。

エリート層への不満が「黄色いベスト運動」へ

このエリート主義がフランス社会で大きな問題になって、実は２０２１年にＥＮＡは廃止になったんですね。フランスは、ひと握りのエリートが社会全体を牛耳っていて、多様性に欠けている。エリートには庶民の気持ちがわからないいんじゃないか、という声が高まって、「黄色いベスト運動」という大規模な反政権デモが起きる要因になったのです。

運動の発端となったのは、２０１８年9月に、政府が翌年から燃料税を上げると発表したことです。

フランスは、地球温暖化対策を進めるために、２０１４年から、ガソリンとディーゼル油の価格に炭素税という税金を上乗せして化石燃料の消費を減らそうとしていました。

炭素税を導入した年の後半からしばらくは原油価格が下落していたので、炭素税を上乗せした値上がり分はそれほど目立たなかったのですが、２０１８年には燃料価格が高止まりし、炭素税の影響が目立つようになっていました。そこへ増税が発表されて、現場の流通産業、あるいはトラック運転手にしてみれば、コストがうんとかかる。冗談じゃないと反発が起きます。一般家庭でも、貧困層だけでなく中間層の家計も直撃し、不満が高まったのです。

エリートは頭で考えて理想を実現しようとします。マクロン大統領は、将来の影響を小さくするために現世代の負担を増やしてもいいだろうと考えたのかもしれませんが、今まさに暮らしのつらさや大変さに直面している庶民には通じなかったのです。マクロン大統領は庶民の暮らしや気持ちがわからないエリート大統領だと、批判的に見られるようになっていました。

そして、同年11月から、ほぼ毎週土曜日に、マクロン政権に対する抗議デモが行われるようになりました。デモに参加する人たちが、フランスで運転の際に携行を義務づけられている黄色いベストを着用したので、「黄色いベスト運動」（左ページ写真⑭）と呼ばれるようになったのです。12月には参加者の一部が暴徒化してシャンゼリゼ付近で治安部隊と衝突することもありましたが、運動は約7か月間続いて鎮静しました。

――燃料税の値上げなどでマクロン政権に不満があったとして、どうしてそれがＥＮＡの廃止につながるんですか？

黄色いベスト運動の抗議に応えて、マクロン政権はいくつかの譲歩をしました。最低賃金の増額、低所得者や平均的な所得者に対する所得税削減と年金の増額などを約束し、ENAの廃止を発表したのです。黄色いベスト運動の背景にエリートへの反感があることをマクロン大統領もわかっていたから、その象徴で自分の出身校であるENAを廃止して、改革するぞというイメージを出したかったのでしょう。

キャリア官僚養成機関だったENAが廃止された代わりに、2022年1月、国立公務学院（INSP＝Institut National du Service Public）が設立されました。ひと握りのエリートを養成するのではなく、もっと開かれたかたちにして、フランス社会の多様性を反映

写真⑭―パリのシャンゼリゼ通りでマクロン政権に抗議する黄色いベスト運動の参加者たち（2018年12月）｜写真提供：Alamy / PPS通信社

する官僚の養成を目指すそうです。

開校したばかりで、どうなるかわかりませんが、グラン・ゼコールでエリートを養成し、エリートが社会を引っ張っていく仕組みに変化はありません。ENAを廃止してどれだけの効果があるのか、実は疑問視されているのです。

ちなみに日本の場合も、国家公務員の、いわゆる「キャリア官僚」というのが存在するわけだよね。国家公務員試験の総合職（旧Ⅰ種）の試験に合格をすると、たとえば、かつての大蔵省なら、20代半ばくらいで地方の税務署の署長になります。地方の税務署の副署長はだいたい定年間近の50代半ばから60歳前後の人なんだけど、そこにいきなり20代の若造が署長として行く。

あるいは、警察庁に入ると、東京大学を管轄している元富士警察署と目黒警察署の場合、東京大学法学部を出た26〜27歳くらいがいきなり署長になるという、そういうエリートの「帝王教育」をしていました。人生経験のない若者にそんなことをやっていいのかという反省から、今は、そんなに早い出世はできなくなったのですが、日本でも一部、フランス的なエリートの制度があったし、今もあるのだということですね。それに対する反発というのは当然のことながらあるわけですが。

でも、非常に優れた能力の高い人をどうやって育てていくのか、あるいは、選抜していくのか。そして、国を率いていく人材をどうやって選んでいくのかは、どの国においても大きな課題なのです。

フランスの場合はグラン・ゼコールという仕組みの中でエリートをつくり出しています。つまり、一般的な大量の大学生を養成するけど、大学生は決して社会のエリートではない。グラン・ゼコールを出た者がすべてを率いていくというやり方を取ってきた。しかし、それでいいのかという国民の批判もあるわけだよね。

これは、まさにバカロレアの試験問題にできますね。「社会を率いる真のエリートとはどういうものなのか、エリートの定義を書け」とか、「国家はエリートによって率いるべきか？」という問題になるでしょう。独自のエリート養成法はフランスの特徴ですが、階層の固定化という問題にもなっているわけですね。

――フランスの教育制度は独特ですが、なんでこのようになったのですか？

最古のグラン・ゼコールは、国立土木学校といわれていますが、土木や建築の技術者のエリートを養成するために創設されました。要するに、国家に必要な人材をどう確保するかということを考えて、エリートを育成する学校群をつくっていったということだね。

当時のことを考えれば、識字率が極めて低かったでしょう。読み書きができない人が圧倒的に多かったわけだよね。本当にひと握りのエリートが国を率いていかなければいけない。そのエリートをどうやって養成するのかを考えて、今のようなかたちになったのですね。歴史的な背景からグラン・ゼコールが生まれたということです。

日本の場合は、寺子屋制度によって、実は江戸時代の末期には相当識字率が高かったといわれています。読み書き、そろばんができる人たちがいっぱいいました。それでも、明治時代になって近代化する時に、ひと握りのエリートを養成するというかたちになりました。東京帝国大学などはそのためにできました。しかし、第二次世界大戦後には、誰にも平等にいろんなことができるチャンスを与えるべきだとなった。そうなったのは、民主主義の世の中になったからですが、国民みんなが読み書きができて一定の学力があるからであり、また、特別なエリートを養成することに対する反発もあったからだろうと思いますね。

――フランスだと、高校卒業のタイミングで高校の先生がつくったバカロレアのテストを受けて、日本の場合だと、大学側がつくったテストを受けるわけですが、どういった背景でその違いが生じたのですか？

ヨーロッパでは、高校を卒業するだけの学力があるのかを見ようという国が多いのです。フランスだけではなくて、ドイツもそうなのですが、そもそも考え方が違うということですね。アメリカの場合は、それぞれの教育を受けることができる学力があるかどうかは各大学が判断しましょうと考えます。日本もそのアメリカ型を採用したわけですね。戦後のアメリカ軍占領下で、六三三制というのも含めて、アメリカの教育制度が導入されました。そのため、各大学が選抜するというかたちが続いてきたのです。

今はアメリカ型になっているけど、それでいいのかどうかを議論してもいいよね。たとえば、高校卒というけど、本当に高校を卒業しただけの実力があるのかと疑いたくなるような人たちがいっぱいいるわけでしょう。それに対してどうするのかという議論は、当然のことながらあっていいと思いますね。

第6章

軍事大国フランスの外交戦略

世界で4番めの核保有国

フランスは、実は軍事大国で、警察の権力が強く、フランス版CIA（Central Intelligence Agency）のような対外情報組織を持っています。フランスに、軍事大国というイメージはないかもしれませんが、核兵器を保有し、海外に大量の武器を輸出し（左ページ図表⑮）、第二次世界大戦後もベトナムや中東で戦争をしてきました。そんなフランスのあまり表に出ない一面を、最後の章で取り上げようと思います。

Q 現在、世界で核兵器を保有する国はどこですか？

――アメリカ、ロシア、中国、イギリス、フランス、インド、パキスタンと北朝鮮？

はい、では整理してみましょうか。最初に核を保有したのはアメリカですね。第二次世界大戦末期にアメリカは広島と長崎に原爆を投下し（1945年）、日本は唯一の被爆国となりました。次にソ連（当時）が核兵器をつくりました。ソ連のスパイがアメリカの設計図を写し取ったことで、ソ連は短期間で原子爆弾をつくることに成功したのです。広島・長崎への原爆投下からわずか4年後のことでした。3番めがイギリスです。イギリスは1

図表⑮―軍事大国フランス

○フランスの軍事力
｜出典：Global Firepower 2023

兵員	41万5000人（推定）*
軍用機	1004機
戦闘機	226機
戦車	222台
艦艇	126艇（航空母艦 1）
国防費	459億米ドル

＊予備兵・民兵含む

○核保有国の核弾頭数
｜出典：SIPRI yearbook 2022

ロシア	5977
アメリカ	5428
中国	350
フランス	290
イギリス	225
パキスタン	165
インド	160
イスラエル	90
北朝鮮	20

○武器輸出額 上位の国々｜出典：世界銀行 2020年

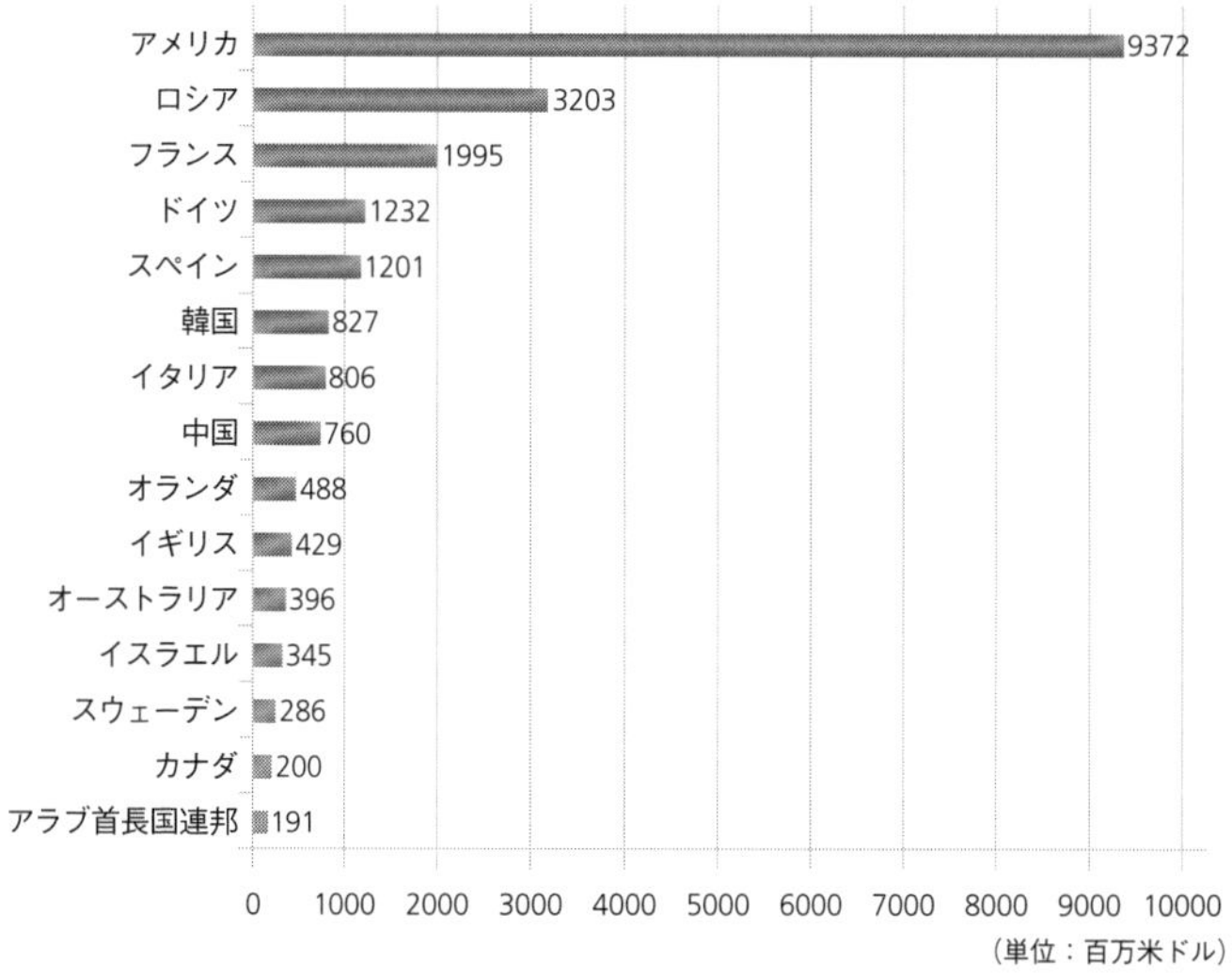

952年に最初の原爆実験をしました。同盟国のアメリカから情報を得て、独自に開発を進めていたのです。

そして、1960年にフランスが追いつきます。核実験はド・ゴール大統領の政権の時に実施されました。ド・ゴール大統領は、核を保有することで米英ソと対等な立場を確保し、フランスの威信を回復する独自外交を展開したかったのです。

核開発に成功したあと、ド・ゴール大統領がどんな独自外交を行ったのか。フランスはドイツと敵対関係にありましたが、それを解消して西ドイツ（当時）と友好条約を結び、アメリカ主導のNATOの軍事部門から脱退します。さらに、イギリスのEEC（ヨーロッパ経済共同体）加盟に反対したり、アメリカの反対を聞かずに中国（中華人民共和国）をいち早く承認したりしました。彼の政治・外交姿勢は名前にちなんで「ゴーリズム」と呼ばれています。

フランスが中国を承認したのは1964年ですが、この頃、中国はソ連と対立していました。中国は同年に核実験を成功させて、5番めの核保有国になったのです。

核保有国は、開発した核兵器が設計どおりに爆発できるのか確かめるために、核実験を繰り返しました。当時は東西冷戦時代で、米ソどちらも核兵器を持ったため、互いに疑心暗鬼になって核兵器を大量に製造するようになります。

Q「核の抑止力」というのは、どんな意味ですか？

――敵が核ミサイルで攻撃してきたら、報復で核ミサイルを打ち返す。どちらが先に攻撃しても、両方とも全滅するから核の使用を抑止する力になる、という考え方です。

はい、そのとおりですね。核を抑止力にするためには、相手に攻撃されても生き残り、相手を攻撃するだけの数の核兵器を常に準備しておかないといけません。結果的に、核兵器をせっせと生産することになって、人類を何度も滅亡させられるくらい大量の核兵器がつくられました。

核保有国のたび重なる核実験と核兵器製造競争に、国際的な批判の声が高まります。国際世論に応えて、核兵器を持つ5か国は、1968年に「核拡散防止条約」（NPT）を結びました。すでに核兵器を持っているアメリカ、ソ連、イギリス、フランス、中国の5か国だけ核保有を認め、それ以外の国が核兵器を開発・保有することを禁じました。

一方で、核兵器を持っていない国が原子力を平和目的で利用する権利は保障したのです。核兵器を持たない約束をした国には、核保有国が原子力発電所を建設したり、建設技術を教えたりすることができるようになりました。ただし、原子力発電所などを持った場合は、核物質を兵器に転用しないかどうか、国際原子力機関（IAEA）の査察を受けることを条件に定めたのです。

すでに核を保有している5か国以外は新たに開発・保有するな、という不平等な条約でしたが、この5か国もこれから核兵器全廃に向けて努力をしていきましょう、ということだったのです。残念ながら、その努力目標が実現しないまま今に至っているということですね。NPTには現在191の国と地域が加盟しています。日本も加盟していて、定期的にIAEAの査察を受けてきたのです。

核の拡散は止まらない

ところが、核拡散防止条約が発効したあとも、核兵器を保有する国は増えています。5か国の次に核を保有したのはインドとパキスタンでした。第二次世界大戦後の1947年、インドはヒンドゥー教徒を中心とするインドと、イスラム教徒のパキスタンのふたつの国に分かれて独立しました。その後、両国は3度戦争をし、その過程で核兵器開発競争が進んだのです。

インドは1974年に核実験を行いました。さらに、パキスタンとの対立が続く1998年に地下核実験を実施。これに反発したパキスタンは、数日後に地下核実験をやり返したのです（インドの核開発は中国を意識したともいわれています）。

２００５年には北朝鮮が核保有を宣言し、翌年、核実験を行いました。それ以来、核実験とミサイル発射を続けているのは、君たちも知っているとおりです。また、イスラエルは、自ら核兵器保有の有無を公表していないのですが、第四次中東戦争（１９７３年）と湾岸戦争（１９９１年）の際に、核兵器を積んだ戦闘機を基地に待機させていたことが確認されています。ですので、核保有が確実視されているわけです。

そして、イランも核開発の疑惑を持たれています。２００２年にイランが核施設を建設していることが発覚しました。イランは平和目的でウランの濃縮を進めていると主張しましたが、ウランの濃縮は純度を高めれば核兵器の材料になるため、欧米などが経済制裁を課しながら核開発を停止するように求めてきました。

アメリカのオバマ大統領の時に、イランが核開発を大幅に制限するのと引き換えに主要国が経済制裁を解除するという「イラン核合意」（２０１５年）に至ったのですが、オバマ政権の次のトランプ大統領がすべてをひっくり返したわけですね。アメリカが核合意から離脱し、イランへの制裁を復活させました。２０２１年にバイデン政権が発足すると再び核合意に乗り出しますが、同年のイランの大統領選挙で反米強硬派の政権に交代し、核合意は遠のいた状態です。

まとめてみると、核保有を認めている国はアメリカ、ロシア、イギリス、フランス、中国、インド、パキスタン、北朝鮮。認めていないけれど、保有が確実なのはイスラエル。疑惑があるのがイラン、ということになります。

核兵器が増えていく状況に対して、日本は唯一の戦争被爆国として、なんとしても世界から核兵器をなくしたいという思いがあって、とりわけ岸田文雄首相は広島県選出だから、被爆問題に意識が高い。それで、2023年5月にG7サミットを広島で実施したわけだよね（写真⑮）。

核兵器を持っているアメリカ、イギリス、フランスを含むG7首脳が、平和記念資料館を見て、被爆者の話を聞きました。核保有国

写真⑮—平和記念公園で、献花のあと握手するフランスのマクロン大統領（右）と岸田首相（中）。左はアメリカのバイデン大統領。2023年5月、G7広島サミットにて
｜写真提供：AP＝時事

のインドをはじめとする招待8か国（インド以外は、韓国、オーストラリア、ブラジル、インドネシア、ベトナム、コモロ、クック諸島）の首脳と、急遽参加したウクライナのゼレンスキー大統領も平和記念資料館を視察しました。首脳たちは、それぞれ平和記念資料館で被爆の悲惨な実態を目《ま》の当たりにして、その思いを記帳しています。フランスのマクロン大統領は記者団の取材に応じ「心を揺さぶられた」と話し、次のようなメッセージを残しました。

「感情と共感の念をもって広島で犠牲となった方々を追悼する責務に貢献し、平和のために行動することだけが、私たちに課せられた使命です」（外務省による仮訳）

G7首脳は、核兵器のない世界を究極の目標として、「核軍縮に関するG7首脳広島ビジョン」を発表しました。岸田首相は、G7首脳と「核兵器のない世界」に向けて取り組む決意を共有できたと歴史的意義を強調しましたが、G7の米英仏が保有する核兵器は防衛目的のために容認し、核廃絶の実現に向けた具体的な削減目標もなく、核兵器禁止条約（核保有国やNATOの国々、日本は不参加）にも触れなかったことに、被爆者から失望の声が上がりました。

フランスは、1960年に、最初の核実験を植民地だったアルジェリアの砂漠の実験場で行いました。2年後にアルジェリアがフランスから独立して実験場を使えなくなると、南太平洋のフランス領ポリネシアにあるムルロア環礁とファンガタウファ環礁で実施してきました（写真⑯）。1966〜96年の30年間で、193回の核実験が行われたそうです。そして周辺の島では白血病や甲状腺がんを発症する人が多く出たといいます。フランス政府は核実験による健康被害を認めていますが、被爆者らは補償が不十分であるとして、保障制度の改善と関連文書の開示をずっと求めています。フランスが抱える核実験の代償は、深く重いのです。

写真⑯—ムルロア環礁で行われたフランスの核実験｜写真提供：AFP＝時事

イギリスの軍艦を沈めたフランスのミサイル

フランスは、核兵器を持っている軍事大国ですが、海外に大量の武器を輸出しているということでも有名です。1982年に「フォークランド紛争」というのがあったんですね。フォークランドは、アルゼンチンの沖合、南大西洋上にある島々です。アルゼンチンに言わせると、そこは「マルビナス諸島」という名前でアルゼンチンの領土だというのですが、1833年以降はイギリスがここを実効支配し、英語でフォークランド諸島と呼んでいました。

当時、アルゼンチンは軍事独裁政権でした。軍人の大統領が経済政策で失敗をして、インフレがぐんぐん進み、物価が上がって、国民の不満が高まっていました。そこで、国民の不満をそらそうとして、「マルビナス諸島を取り戻すぞ」と、いきなりフォークランドに攻め込んで、占領してしまいました。

これに対して、当時のイギリスのサッチャー首相が激怒して、ただちにイギリスの大軍を送って、フォークランドをアルゼンチンから取り戻そうとします。これがフォークランド紛争（フォークランド戦争とも）というのですが、この時に、アルゼンチンの空軍が放ったミサイル1発でイギリスの軍艦が沈んでしまったんですね。それが「エグゾセ」というフランス製のミサイルだったのです。

世界中の軍事関係者が、エグゾセミサイルっていうのは実に優秀なミサイルだと知って、フランスに注文が殺到しました。それ以降、エグゾセミサイルは大量に海外で買われました。つまり、戦争によって利益を得たということですね。

ただし、フランス製のミサイルでイギリスの軍艦が沈み、海軍の兵隊が大勢死んだことに対して、フランスがイギリスに遺憾の意を表明しています。まさかアルゼンチンがイギリスと戦争するなんて思っていなかったからアルゼンチンに売ったけど、イギリスに敵対しているわけではないとして、遺憾の意を示すという事態が起きました。

あるいは、フランス製の「ミラージュ」という戦闘機がありますが、フランスは独裁国家が多い中東の国々に大量に売っていたのですね。１９９1年に「湾岸戦争」が起きました。この湾岸戦争の時に、フランスもアメリカやイギリスと一緒に多国籍軍としてイラクを攻撃するわけです。ところが、イラクを攻撃する初日にフランス軍は参加しなかったのです。アメリカ軍とイギリス軍だけでイラクを攻撃しました。

それはなぜか？　イラク軍もフランスのミラージュ戦闘機を大量に持っていたからですね。つまり、フランスはミラージュ戦闘機をイラクに売っていたんだよね。だけど、多国籍軍としてフランス軍も参戦すると、フランス軍のミラージュ戦闘機とイラク軍の戦闘機が同じものだから、アメリカ軍やイギリス軍は敵味方の区別がつかなくなるかもしれないというので、イラク空軍を全滅させてからフランス空軍がミラージュ戦闘機を投入するというやり方を取りました。世界のいろんな国に武器を売っていると、そういうことも起きるのです。

戦史に残る大敗北、ディエンビエンフーの戦い

フランスは第二次世界大戦のあとも、戦争をしてきた国です。第二次世界大戦以前、インドシナ半島東部のベトナム、ラオス、カンボジアはフランスの植民地で、フランス領インドシナとなっていました。しかし、第二次世界大戦が始まって、ドイツがフランスを破ると、ドイツの同盟国である日本がフランス領インドシナを占領します。その日本が敗北して撤退すると、フランスが戻ってきて、ベトナムの支配を継続しようとしました。

それに対して、ホー・チ・ミンが指導するベトミン（ベトナム独立同盟）が、ベトナム民主共和国の独立を宣言。フランスはベトナム国という傀儡国家をつくって、ベトミンに対抗します（インドシナ戦争）。正面から大国のフランスに立ち向かってもかなわないと

思ったベトミンはゲリラ戦を展開しました。

この時に、戦争史上まれに見る大きな出来事がありました。それが1954年3月から5月に行われた「ディエンビエンフーの戦い」ですね。ベトナムの北西部にあるディエンビエンフーというところに、フランス軍が巨大な基地をつくりました。ここは旧日本軍の飛行場跡があり、空から物資を補給することが可能だったからです。フランスは約2万人ともいわれる兵隊をそこに置いて、ベトミンを誘い出し、決戦に挑もうとしていました。ベトミンのゲリラ戦法に対して思うような戦果が上げられずにいたからです。

この情報はベトミンに伝わり、彼らはディエンビエンフーのフランス軍の基地を約4万のベトナム兵で包囲し、ゲリラ戦を挑みます。基地周辺のジャングルや山の中に、基地から見えないように火砲を設置したり、地下にトンネルを掘ってフランスの基地にじわじわと近寄り占領したりしました。あるいは、基地を見下ろす高台に兵隊を配備し、フランス軍が物資を輸送機で輸送しようとすると次々に撃墜するわけですね。結局、フランス軍はその密林の中の基地に、食料から何から一切送ることができなくなって、ベトナムに降伏しました。56日間におよぶ戦いで、フランスは2000人以上の死者を出し、1万人以上が捕虜になるという、極めて屈辱的な大敗を喫しました（左ページ図表⑯）。

この敗北を受けて、フランスはベトナムから撤退します。ジュネーブ休戦協定により、

図表⑯—**インドシナ戦争**

日本の占領下、ホー・チ・ミンがベトミン（ベトナム独立同盟）を結成。第二次世界大戦後、「ベトナム民主共和国（北ベトナム）」の独立を宣言。

↓

フランスはこれを認めず、「ベトナム国」を発足させベトミンと交戦を開始（インドシナ戦争）するが、1954年、ディエンビエンフーの戦いで大敗を喫する。ジュネーブ休戦協定により、停戦することとなった。

↓

フランス撤退後、アメリカが介入。ベトナム共和国（南ベトナム）が成立。 → ベトナム戦争へ

1945年頃のフランス領インドシナ

ディエンビエンフーの戦いで、フランス軍の司令部を占領したベトミン軍｜写真提供：Alamy / PPS通信社

ベトナムは北緯17度線を暫定的な境界線とし、北は、ホー・チ・ミン率いるベトナム民主共和国（北ベトナム）、南はフランスの支配地域となりましたが、フランス軍は完全撤退しました。その後、北ベトナムが社会主義の国だったので、社会主義が広がるのを防ごうとしたアメリカが、フランスのあとを継いで、この地域に手を出します。アメリカは自分たちが思うように操れるベトナム共和国（南ベトナム）という国をつくりました。そして、南ベトナムと北ベトナムの対立がやがて「ベトナム戦争」に発展していくのです。フランスが大敗したディエンビエンフーの戦いは、歴史の分岐点になったのです。

第二次中東戦争にも関わった

北アフリカのアルジェリアは、19世紀以来フランスの植民地でしたが、第二次世界大戦後に独立運動が激化します。民族解放戦線（FLN）が組織されて武力闘争を開始。1954～62年にかけて、アルジェリア独立戦争が起きました。フランスはそれをなんとしても防ぎたいと、大軍をアルジェリアに送りますが、ここにおいてもフランス軍が大変大きな損害を出すことになりました。最終的に、その損害に耐え切れず、フランスはアルジェリアの独立を承認することになったのです。

あるいは、第二次中東戦争（１９５６～５７年）にも、実はフランス軍が関わっています。中東戦争といえば、今の中東のパレスチナ地区にイスラエルという国ができたことによって、周りの国々と戦争したことが思い浮かぶでしょう。第一次中東戦争と第三次、第四次の中東戦争はそうなんですけど、第二次中東戦争は違うんですね。

第二次中東戦争というのは、スエズ運河をめぐる争いなのです。スエズ運河はフランス人のフェルディナン・ド・レセップスが掘削をしたことで知られていますよね。だから、当初、スエズ運河を管理する会社の株はフランスとエジプトが持っていましたが、のちにエジプトの株をイギリスが買い取りました。この会社をエジプトが国有化してしまいます。それに対して、イギリスとフランスが激怒して、イスラエルを巻き込んでエジプトを攻撃したというのが第二次中東戦争なのです。

この戦争にアメリカが介入して、イギリスとフランスに対し、エジプトへの攻撃はやめろと抑えるんですね。これによって、フランスはスエズ運河から撤退せざるをえなかった。それで、現在のようにスエズ運河の通行料が全部エジプト政府に入るという図式になってしまったのです。しかし、フランスにしてみると、この時、アメリカの介入を受けたことで、利権を奪われてしまったのですから腹の虫がおさまらない。それで、アメリカとの関係が悪化するわけです。

Q第二次中東戦争が起きる前に、西ヨーロッパの国々を中心にした集団防衛体制の組織ができています。この組織はなんでしょう?

——NATOです。

はい、そうですね。1949年に、ソ連や東ヨーロッパの軍事的脅威に対抗するために、西ヨーロッパの国々が大西洋の向こう側のアメリカ、カナダ、そしてイギリスを巻き込んで組織したのがNATO(北大西洋条約機構)です。ここにアメリカも入っているわけですが、フランスは第二次中東戦争の際にアメリカの介入を受けて関係が悪化したため、一時、NATOの統合軍事機構から脱退したことがあります。「連絡は取るけれども、集団安全保障体制にフランスは関与しないよ、フランスはフランスだけで独自に国を守るよ、核兵器をどんどんつくっていくよ」という態度を取ったんですね。この時のフランス大統領は誰でしたか?

——ド・ゴール大統領です。

そうです。前に話した核実験を行った時の大統領で、「ゴーリズム」を貫いた人ですね。現在フランスはNATOに戻ってきています。ロシアの脅威に一緒になって備えようということになっていますが、フランスは、戦後しばらくの間、独自の軍事的な方針を取っていたのです。

NATOといえば、東アジアで北朝鮮がミサイル実験を繰り広げたり、中国が台湾への軍事的圧力を強めたりする中で、NATOの東京事務所を開設する計画が持ち上がりました。日本政府は乗り気でしたが、2023年7月、フランスのマクロン大統領はこれに反対を表明しました。NATOの範囲は北大西洋であり、インド太平洋まで手を広げる必要はないというものでしたが、そこには中国を刺激することへの配慮がありました。フランスは今でも独自の路線を取ることがあるのです。

19世紀から存続する外国人部隊

フランスには、かつては徴兵制があったのですが、現在はありません。徴兵制はなくなったのですが、2015年にパリの飲食店や劇場で同時多発テロが起きたあと、警察だけではとても警備が十分にできないというので、軍がさまざまな施設の警備に立つことになりました。たとえばルーヴル美術館やオペラ座などにも、フランス軍の兵士が配備されて守っていました。すると、重装備をした兵士たちがすっかり疲弊してしまって、なんとかこれを補佐するために徴兵制を復活させようという話が一時フランスで起きたんですね。

だけど、これに対しても、やっぱり反発が起きて、結局、徴兵制は導入しないことになりました。

そして、フランス軍の特徴的なところは、外国人部隊があることです。フランス外国人部隊は、実はとても有名です。外国人部隊とは、フランスの国籍を持っていない外国人にお金を払って兵隊になってもらった部隊です。現在、外国人部隊には、8000人ぐらいの兵士がいます。

フランスの植民地だったアフリカのマリでは、10年くらい前からイスラム過激派が勢力を伸ばして治安が悪い状態でした。マリ政府の要請でフランス軍を派遣していたのですが、実際にマリに駐在していたのは、かなりの部分が実は外国人部隊だったのです（現在は撤退）。

フランスの国籍を持っていない人が、外国人部隊に入って給料をもらいながら3年間勤務すれば、フランスの国籍を得ることができます。だから、手っ取り早くフランスの国籍を得るために、外国人部隊に入って、戦地に赴くという人たちがいます。時々、外国人部隊に入っている日本人のことがニュースになりますね。あるいは、入隊体験をつづった人の本が刊行されています。外国人部隊には、100か国以上から兵士がやってくるといいますから、日本人の兵士がいても不思議はありません。実際、在日本フランス大使館のウ

図表⑰ — **フランス軍外国人部隊** | 出典：在日本フランス大使館HP

外国人部隊とは	フランス外国人部隊は1831年に創設された組織で、人種、国籍、宗教、政治信条、出身階層、教育水準等を異にする有志によって構成されている。フランス軍の正式な組織で、その構成、規則、装備は陸軍の歩兵隊、機甲隊、工兵隊のものに準じている。
主な入隊の条件	・年齢制限は17歳から40歳（18歳未満の場合は両親または後見人の承諾書が必要）。 ・有効期限内のパスポートを所持していること。 ・BMI（ボディマス指数）が20～30kg /㎡の範囲内で、虫歯などがなく健康な体であることなど。
入隊志願と選考	・フランスにある募集事務所で手続きを行う（旅費は志願者負担）。 ・事務所での面接のあと、別の選抜会場にて健康診断、身体能力テスト（浮き輪なしに最低25メートル泳げることは必須条件）、職業適性検査、心理学を応用したテスト、志望動機などを問う面接を数回にわたり受ける。 （選考には3週間程度かかり、適性が認められれば入隊が許可される。合格率は志願者全体のおよそ20％）
入隊後	・入隊が許可されると、15～16週間の基礎軍事訓練を受ける。 ・入隊後最初の契約期間は5年。5年の契約期間の終了時に本人が希望する場合は、契約を継続することができる。
給与・手当・年金	フランス軍の給与体系に則り支給される。階級が低いうちは衣食住に関しては支給される。有給休暇は年45日。15年以上の勤務者には年金の受給資格があり、母国に帰国後も受け取ることができる。
契約終了後	・外国人部隊兵は、勤務期間が3年に達した時点で、フランス国籍の申請ができる。 （日本は現在、二重国籍を認めていないため、フランス国籍を取得した際には日本国籍を失う可能性がある）

外国人部隊についてはフランス大使館のウェブサイトで詳しく公示されている。ここでは主なものを抜粋して掲載した。

ェブサイトの求人・募集情報欄にも募集要項が掲げられています（P213図表⑰）。

アルジェリアの独立戦争の際には、この外国人部隊が大量に投入されました。湾岸戦争にもかなりの数の外国人部隊が投入されたり、アフガニスタンにもフランス軍として派遣されたりしています。第一線で戦っているのが、実は外国人部隊というのがフランスの軍隊の特徴ということですね。

ちなみに、アメリカ軍も、昔は徴兵制がありましたが、今は徴兵制がなくなって志願制になっています。アメリカも、志願する人が減って兵員不足に陥っているそうです。

アメリカは第二次世界大戦中には、アメリカ軍の兵士として戦っていればアメリカ国籍を与えるというかたちで外国籍の人たちをアメリカ軍の兵士として活用してきました。つまり、アメリカの国籍を持っていなくても、アメリカ軍の兵士としては活動ができる。そこでちゃんとやればアメリカの国籍を与えるよという、言い方は悪いけど、ある種の餌だよね。

現在はアメリカ国民でない場合、グリーンカード（永住権カード）を持っていること、英語で流暢に話し、読み書きができることが条件で、これらなしに入隊はできません。

警察は逮捕状がなくても24時間身柄を拘束できる

フランスは軍事大国ですが、では、警察はどういう仕組みになっているのか。日本の場合は、都道府県単位に警察があるでしょう。それに対して、フランスは「国家警察」と「国家憲兵隊」というふたつに分かれています。国家警察というのは内務省に所属する、いわゆる私たちがイメージする警察です。人口が2万人以上の都市においては国家警察が担当します。人口が2万人に達しない地方においては、軍に所属する国家憲兵隊が警察の役割を担っているのです。つまり、都市部においては国家警察で、地方の田舎に行くと軍所属の憲兵隊が警察官をしているという、これがフランスの特徴的なところですね。なお、このほかに、駐車違反などの軽犯罪を取り締まる「自治体警察」が一部の自治体に置かれています。

日本の場合は、都道府県単位で警察があり、その全体をまとめるというか、連絡調整機関としての警察庁という役所があるわけですけど、フランスは、都市部と地方で警察の組織が違うという仕組みになっています。アメリカの場合は、それぞれの地方自治体ごとに警察があり、国全体の警察はＦＢＩ（連邦捜査局）というところが捜査をしているという、こういう違いがあるわけですね。

そして、実はフランスの警察はかなりの権力を持っていて、現場の警察官が、この人物は怪しいと思えば、逮捕状がなくても24時間身柄を拘束することができるのです。

日本の場合、逮捕とは被疑者に対する短時間（最大72時間）の身体拘束のことで、原則として逮捕状がなければ逮捕することができません。ただし、現行犯なら逮捕状がなくても逮捕できます。犯罪が目の前で起きれば、警察はそれを現行犯として逮捕することができますが、ただ怪しいというだけでは逮捕できないわけだよね。ちゃんと逮捕するだけの証拠を積み重ねて、証拠を裁判所に提出し、裁判官が、これなら確かに容疑は十分だから逮捕してもいいですよと逮捕状を出して、初めて逮捕することができる仕組みになっています。

フランスの場合は、現場の警察官の裁量というのがあって、町を歩いていて、怪しいなと思うと、それだけで24時間に限って、身柄を拘束することができるのです。ただ、24時間後には釈放しなければいけません。でも、身柄を拘束して調べ、本当に犯罪者だとわかれば、そこからは手続きをすれば、さらに逮捕を継続することができます。

以前、日本のテレビクルーがフランスでロケをしていたら、怪しいと思われて、現場の警察に一斉に逮捕されてしまったという出来事がありました。フランスに行って怪しい行動を取ると拘束されてしまうかもしれないということを知っておいたほうがいいだろうと思います。

　フランスと日本では、警察に関する用語、たとえば「逮捕」についても、今説明したとおり手続きが異なります。そのせいで騒ぎになったのが、カルロス・ゴーンの逮捕でした。ゴーンが日本で逮捕された時に、フランスのメディアは、警察が24時間だけ身柄を拘束できるほうの「ガルダビュ」という言葉を使ったんだよね。だからフランスのメディアが、「23日間も身柄を拘束するなんて、日本の警察、あるいは、日本の検察というのはなんて人権を無視しているんだ」と批判し、大きな議論になったわけですね。

　刑事手続きの違いによる誤解から、日本を

図表⑱―フランスと日本の刑事司法制度

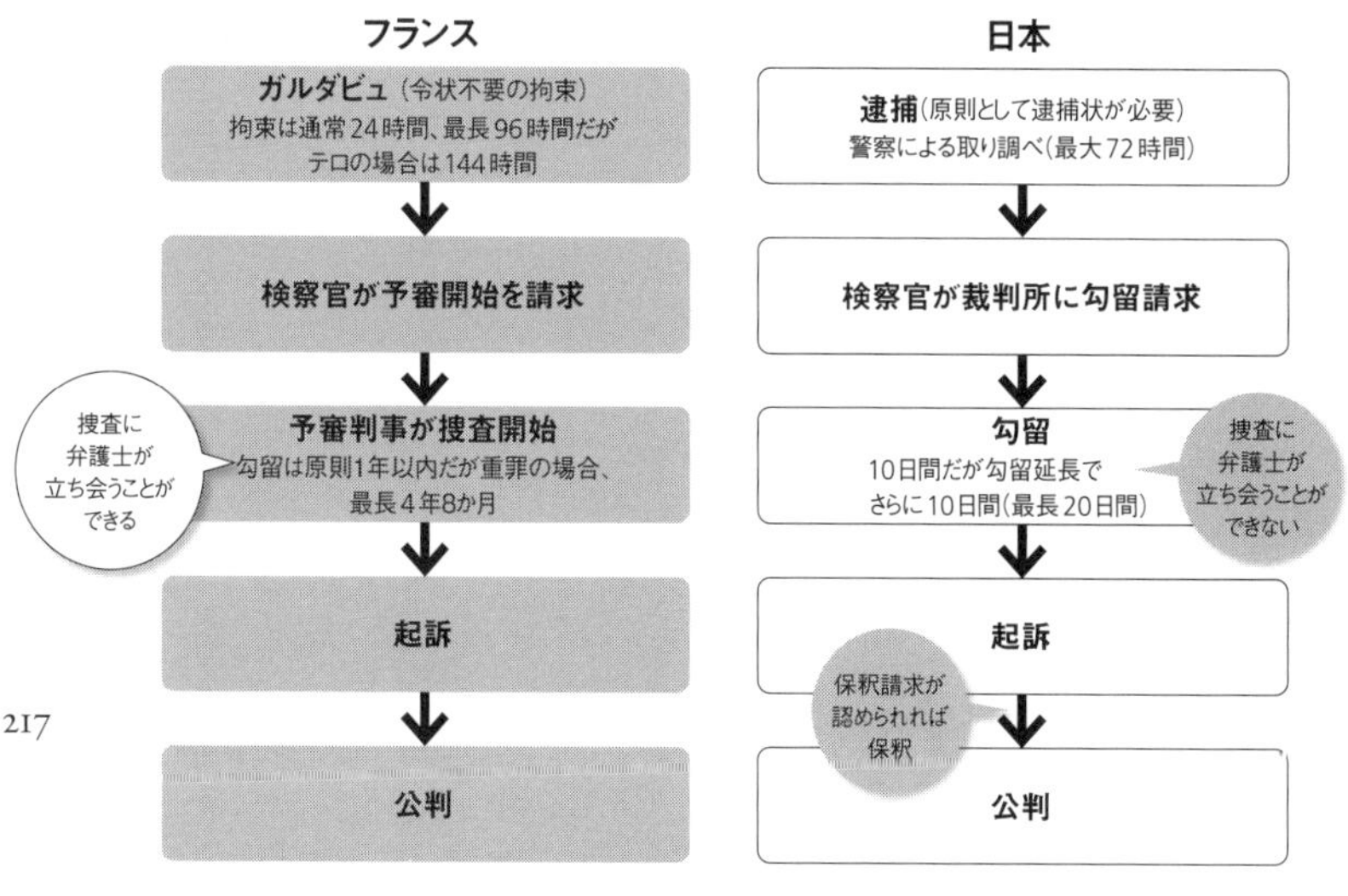

フランス
ガルダビュ（令状不要の拘束）
拘束は通常24時間、最長96時間だがテロの場合は144時間
検察官が予審開始を請求
予審判事が捜査開始
勾留は原則1年以内だが重罪の場合、最長4年8か月
捜査に弁護士が立ち会うことができる
起訴
公判
日本
逮捕（原則として逮捕状が必要）
警察による取り調べ（最大72時間）
検察官が裁判所に勾留請求
勾留
10日間だが勾留延長でさらに10日間（最長20日間）
捜査に弁護士が立ち会うことができない
起訴
保釈請求が認められれば保釈
公判

批判することになってしまったということです。日本の場合は、逮捕状があって初めて逮捕できる。そして、とりあえず72時間（3日間）は身柄を拘束できる。さらに留置を続けなければいけない場合、検察が勾留申請して裁判所の許可を得れば10日間延期できる。それが2回できるから、しめて23日間は身柄を拘束できます。でも、そこを過ぎてしまえば、起訴するか、釈放するかのどちらかしかないわけです。

フランスの場合は、とりあえず怪しいと思えば、最初の24時間だけは拘束できる。そういった刑事手続きも、国によってずいぶん違うわけだよね（P217図表⑱）。それぞれの仕組みをよく知っておかないと、さまざまな誤解も生まれてくることになります。

フランス版CIAのスパイ組織がある

意外と知られていませんが、フランスにも、いわゆるスパイ組織というのがあります。みんなもアメリカのCIAはよく知っているでしょう。あるいは、イギリスのMI6（MIはMilitary Intelligenceの略）というのも知っている人がいるかもしれません。MI6は旧名称で、現在はSIS（Secret Intelligence Service／秘密情報部）になりましたが、映画の『007』の主人公はMI6のスパイという設定になっているわけですね。MI6や

ＭＩ５は通称として現在も使われているので、ここでもそのまま使います。

フランスにも、ＣＩＡやＭＩ６に相当するスパイ組織があります。それがＤＧＳＥ(Direction générale de la Sécurité Extérieure) ですね。フランス語読みするとデージェーエスウー、対外治安総局と訳されます。

ちなみに、アメリカのＣＩＡというのは海外でスパイ活動を行う対外情報機関で、ＦＢＩは連邦捜査局といって警察なのですが、アメリカ国内の事件の捜査や公安に関する情報収集、他国のスパイを取り締まっています。そういう役割分担があります。イギリスにおいては、ＭＩ６が対外情報機関、国内がＭＩ５（現在はSecurity Service／保安局）で、イギリス国内のスパイ活動、あるいは、国内でよその国のスパイを捕まえています。海外で活動するイギリスのスパイはＭＩ６です。

フランスの場合は、フランス国内でのスパイの取り締まりはＤＧＳＩ（Direction générale de la Sécurité Intérieure)、訳すと国内治安総局という組織がやっています。それに対して、フランスの国外でさまざまなスパイ活動をしているのがＤＧＳＥという組織です。

現在、ざっと７０００人の職員がいて、世界各地でスパイ活動をしているといいます。当然のことながら、日本のフランス大使館にも職員がいるわけですね。日本のアメリカ大使館には、もちろんＣＩＡの職員もいますし、日本のイギリス大使館にも当然、ＭＩ６の職員がいるということですね。

だいぶ前になりますが、イギリス大使館で書記官といろいろ話をする機会があって、ここにＭＩ６の東京支局もあるんでしょうと言った途端、相手が顔色を変えて、「そういう話はここでしないでください」と言われてしまいました。帰りに外に出て、外から大使館を眺めていたら、あるビルだけアンテナが林立していましたね。あっ、あそこの建物かなと思ったわけですけど、フランスにも同じような組織があって、たとえば、ロシアに対するスパイ活動をする時には、ＣＩＡやＭＩ６と協力しながら活動をしているということですね。

そして、ごくまれに、違法行為をして、それがばれてしまうということがあります。１９８５年に、ＤＧＳＥが環境団体のグリーンピースの船を爆破するという事件が起きました。これはかなり有名な事件なんですけど、この頃、フランスは核実験を繰り返していました。核保有国の話のところで少し話しましたね。

Ｑ フランスが核実験を行っていたのはどこでしたか？

――最初はアルジェリアのサハラ砂漠でした。

そうだね、でもアルジェリアはそれからすぐに独立してしまったでしょう。

――南太平洋のフランス領ポリネシアにある、えーっと、名前は出てきませんけど環礁があるところです。

はい。南太平洋のムルロア環礁とファンガタウファ環礁というところですね。この時に国際的な環境団体のグリーンピースがこの核実験をやめさせようとして、自分たちの船でムルロア環礁に入ろうとするんですね。これが「レインボー・ウォーリア号」、虹の戦士という名前の船で、身を挺してフランスの核実験を阻止しようとしたわけです。フランスとしてはなんとしても核実験を成功させたい。このグリーンピースの船が邪魔だということになり、この船がニュージーランドの港に停泊している時に爆弾を仕掛けて、船を沈没させたのです。

船にはグリーンピースの活動家が乗っているわけでしょう。いきなり爆発させると人を殺してしまうことになります。そうならないように、最初は小規模な爆発をさせました。それで、みんな逃げるだろうと。みんなが逃げたあとに大規模な爆発をさせて船を沈めてしまおうと考えたのです。実際に、最初の小規模な爆発で船に乗っている人は逃げたのですが、カメラマンひとりだけが、いろんな機材を運び出そうとして船にとどまっている間に次の大爆発が起きてしまって、死んでしまうという事件が起きたんですね。

ニュージーランドとしては、当然、これをテロ事件として捜査しました。捜査をしていたら、たまたまここに観光旅行に来ていたという怪しいフランス人のカップルを見つけます。この男女がＤＧＳＥのスパイだったというわけです。このふたりが当局によって逮捕されました。

フランスとしては自国のスパイがニュージーランドで捕まってしまった。なんとしてもこれを取り戻したい。そこで、ニュージーランドにこのふたりを釈放しろと圧力をかけます。しかし、ニュージーランドはニュージーランドの国の法律があるのだから、そういうわけにはいかないと突っぱねます。するとフランスがニュージーランドの農作物の輸入を止めるという圧力をかけたのですね。困ってしまったニュージーランドは、国連に助けを求めて、国連の事務総長が仲介役に入ります。

そして、とりあえず、そのふたりをニュージーランドから出すけれども、フランス領ポリネシアのトゥアモトゥ諸島にとどめて、フランスには戻さないというかたちで、まあ、和解というか話をつけたのです。ところが、ニュージーランドから出た途端、ふたりはさっさとフランスに逃げ帰ってしまいました。これが、また大きな問題になり、ニュージーランドが怒って、フランスがニュージーランドに謝罪し、お金を払うなんていうことが起きたというわけです。

この事件で、フランスがスパイ活動をするだけではなく、破壊活動も行っていることがわかりますね。こういうことは実はアメリカもイギリスもやっているのですが、フランスもしているということですね。

つまり、フランスはフランスで、さまざまな独自の活動をしているわけだよね。軍事力においても、あるいは、スパイ活動においても、フランスという国の国益を守るために何ができるのかということを常に考えています。そして、核兵器を持って、現在は、特にロシアに対抗しているのです。これが今、フランスのもうひとつの側面ということになります。

さあ、ここまでのところで何か質問はありますか。はい、手が上がりましたね。じゃあ、後ろ、真ん中からいきましょうか。どうぞ。

――素朴な疑問なんですけど、核兵器を持っている国はどこに保管しておくのですか？

なるほど。フランスのような領土の中で核兵器をどこに置いておくのかということは、とても難しい問題だよね。アメリカの場合は、テキサスやアリゾナの地下に巨大な地下トンネルをつくって、そこに核ミサイルを積んだ地下鉄みたいな鉄道をつくって、あっちに行ったりこっちに行ったりして、外からうかがい知れないようにしています。あるいは、原子力潜水艦に核ミサイルを積んで、世界のあちこちの海に潜ませておいて、いざという時はそこからミサイルを発射するという方法にしています。

フランスも同じですね。原子力潜水艦に核ミサイルを積んで、周辺の海に潜ませておいて、もしフランスの本土がロシアから核攻撃を受けたら、潜水艦から核ミサイルを発射してモスクワを破壊するという、そういう方法で国を守ろうとしていますね。

イギリスは国土が狭いから、核ミサイルを配備したら、どこにあるかすぐにわかっちゃうでしょう。まずそこが攻撃されてしまうよね。だから、原子力潜水艦で北海に潜ませておいて、抑止力にするというやり方をしています。

――フランスが南太平洋のポリネシアで核実験をしていたという話でしたが、ほかの核保有国はどこで核実験を行ったのですか？

ああ、そのほかの場所？　有名なところでいうと、アメリカもフランスと同じように南太平洋で核実験をしました。南太平洋のビキニ環礁です。その結果、日本の遠洋マグロ漁船の第五福竜丸の乗組員たちが被爆することになったわけだよね（１９５４年）。

ソ連は現在のカザフスタンで核実験を行っていました。カザフスタンはソ連時代はソ連を構成するカザフ共和国でした。このカザフ共和国の北東部にあるセミパラチンスク核実験場で、１９４９年から40年間で合計４５０回以上の核実験が行われたのです。砂漠ではほとんど人が住んでいないところですが、大気圏内でそれだけ多くの核実験をやれば、大量の放射性物質が飛んで土壌にたまります。核実験場のあった一帯は、今でも放射能汚染が問題になっています。

イギリスは、オーストラリアの南オーストラリア州のマラリンガで、1956～57年に合計7回の核実験を行っています。1980年代の調査で実験場跡地の多くの場所で放射能汚染があることがわかり、オーストラリア政府が伝統的な所有者である先住民の人たちに補償金を支払いました。

中国は、新疆《しんきょう》ウイグル自治区の人がいない砂漠地帯で核実験を繰り返してきました。ウイグル人の住民は核実験自体を知らされていなかったといいます。健康被害についてもわかりません。

こうしてみると、植民地の人たちや、先住民族の人たちに健康被害やリスクが集中しています。核実験を行った国は、彼らに影響があってもかまわないというふうに、ひょっとすると、どこかで思っていたのかもしれないということですね。

――フランスは軍事大国だとわかりましたが、この授業を聞いて、あまり戦争は強くないのかなと思ったのですが……。

俗説だけどね、料理のうまい国は戦争が下手、という言い方があります（笑）。フランスは美食の国として有名だよね。確かに、授業で話したアルジェリアの独立戦争や、ベトナムのディエンビエンフーの戦いを知ると、そう思ってしまうかもしれないね。ただし、戦争に弱いかどうかはともかくとして、外交の分野において、フランスは戦後の世界をリードしてきたといえるでしょう。

たとえば、ヨーロッパ統合の象徴であるEUは、もともとフランスが主導して実現したものです。第二次世界大戦後のフランスにとって、最大の外交課題は、二度とドイツと戦争をしないためにどうすればよいか、ということでした。第一次世界大戦後、フランスはドイツを弱体化させるために、ドイツに重い賠償金を課しました。それが結果的にナチスの台頭を招いた要因のひとつになってしまったという反省から、ドイツを暴走させずにヨーロッパの一員として取り込む方法はないかと考えます。

この時、石炭と鉄鋼をヨーロッパ全体で共同管理し、ドイツに再び戦意を持たせず、一緒に経済的発展を目指せないかと発想したのが「ヨーロッパ統合の父」と呼ばれるフランス人のジャン・モネ（１８８８～１９７９年）という人物でした。彼はフランス中西部のコニャック出身。この地名が付けられた有名なお酒「コニャック」で世界を相手にビジネスをし、国際連盟で事務次長を務めました。このプランを当時のフランス外相ロベール・シューマン（１８８６～１９６３年）に伝えると、外相にもピンとくるものがあったのでしょう。

石炭と鉄鋼の共同管理から始めたのはなぜか？　きっかけのひとつとなった地域がドイツとフランスの国境にあるアルザス・ロレーヌ地方です。石炭が大量に埋蔵されていたため石炭を燃料とした鉄鋼業が盛んで、17世紀からドイツとフランスで奪い合いを繰り返した地域です。第二次世界大戦後、アルザス・ロレーヌ地方はフランスの領土となっていましたが、西ドイツが経済復興のため、再びこの地方を奪いに来るのではないかと、フランスは危惧しました。

この頃、フランスは、ドイツだけでなく、ヨーロッパに代わって政治的にも経済的にも巨大になったアメリカに対してどう向き合うかが、重要な問題になっていました。フランスはアメリカの広大な市場に対抗するために、ヨーロッパ全体に市場をつくろうと考えたのです。

ＥＵのもととなった欧州石炭鉄鋼共同体（ＥＣＳＣ）構想はフランスから発せられ、１９５２年にフランスと西ドイツ、イタリア、オランダ、ベルギー、ルクセンブルクの6か国で創設されました。そして現在、ＥＵ加盟国は27か国に増え、域内単一市場を実現しています。

また、世界の主要国の首脳が定期的に集まって会議を持つサミットを提案したのは、フランスのジスカール・デスタン大統領（在任１９７４〜８１年）でした。最初の会議は、

1975年にフランスのランブイエで開かれ、サミットではなく、先進国首脳会議と呼んでいました。1973年に起きたオイルショック後の世界的不況への対策を話し合ったのです。日本からは当時の三木武夫首相が出席しました。それ以来、サミットは継続し、2023年に実施された広島サミットは49回めになります。こうした実績を見ると、フランスは独自の発想で世界をリードする力があるといえるでしょう。

――授業でアフリカのマリの話が出ましたが、治安が悪化しているフランスの旧植民地にロシアのワグネルが行って、現地で支持されているというのは本当なんですか?

はい、フランスの植民地だった西アフリカのマリには10年ほど前からイスラム過激派が流入してきて勢力を拡大しました。フランスはマリ政府からの要請を受けてフランス軍を派遣したのですが、イスラム過激派を掃討することができずに、マリの国民の間では宗主国だったフランスへの不満がたまっています。

近年、軍部が続けざまにクーデタを起こし、親仏政権が倒れたため、フランス軍は2022年にマリから撤退しました。代わりにやってきたのがロシアの民間軍事会社のワグネルです。ロシアによるウクライナ侵攻以来、頻繁にニュースに登場するので、日本でもよく知られるようになりましたね。

ワグネルが、フランス軍に代わってイスラム過激派を掃討できたのかといえば、実際、そうとばかりはいえないでしょう。マリなどは、旧宗主国フランスへの反発から親ロシアへ向かったと考えられます。マリの隣国でフランスの植民地だったブルキナファソも親ロシアになりつつあると報道されています。ワグネルはマリ以外にも、中央アフリカ共和国、スーダン、モザンビークに兵士やロシア製の武器を送り、存在感を強めているといわれています。その背後には、欧米諸国以外の国々と関係を強化したいプーチン大統領の意向があったのでしょう。ワグネルの指導者・プリゴジンが死亡しましたが、民間軍事会社としてアフリカ諸国での活動は続いています。

2022年2月のロシアによるウクライナ侵攻を受けて、すぐに国連総会緊急特別会合が開かれましたが、ロシアを非難する決議採決で、アフリカのほぼ半分の国が棄権、もしくは不参加を選び、ロシアを刺激することを避けました。世界は、必ずしも欧米流の正義を支持しているわけではないのです。

――授業テーマからは外れるのですが、池上さんは、過去、何か国くらい行ったのでしょうか？　また、今後行きたい国というのを聞けたらうれしいです。

はい、わかりました。厳密に言うと、国と地域を合わせて86か所に行ってますね。コロナ禍の前に85までいって、最近1か国増えました。でも、イモトアヤコさんが100か国を超えてるんだよね（笑）。早く追いつくようがんばりたいと思っています。まだまだ見ていない国があるわけですね。西ヨーロッパでいうと、ルクセンブルクだけ行ったことがありません。つまり、ルクセンブルクは平和な国なので、何も紛争などが起きていないものだから、取材に行く機会がないということですね。

東ヨーロッパでまだ行っていない国というと、ルーマニアがあるし、モルドバがあるし……。特にモルドバには「沿ドニエストル共和国」というロシア系の住民たちによる自称独立国があってロシア軍が駐留しています。今、モルドバが風雲急を告げているというところがあるので、どこかで時間があれば、モルドバに行ってみたいなと思っています。よろしいですか。

――ありがとうございます。

――(生徒代表)本校にいらして、フランスの授業をしていただき、本当にありがとうございました。フランスの人権に対する意識や、自分の権利を主張するという普遍的な国民性、移民や宗教などの多様性がわかったのが、とても興味深かったです。あと、個人的な話なのですが、明日から、僕ともうひとりの生徒で、フランスに2週間ホームステイに行くのです。僕が行く場所がちょうどアルザス地方のストラスブールで、フランスとドイツの両方に占領された歴史など、詳しく知ることができると思うので、この授業で得た知識をもとに体験してきたいと思います。本当にありがとうございました(拍手)。

ありがとう。ちなみにストラスブールって、ドイツとフランスが争って互いに占領していたでしょう。だから、ストラスブールのかなりの人がドイツ語とフランス語のバイリンガルで、ドイツの警察官とフランスの警察官がコンビを組んでパトロールしているといわれているんですね。そのパトロールをしている映像は見たことがあるのですが、実際に見たことがないので、ストラスブールに行ったら、そういうことがあるのかどうかも見てきてくださいね（笑）。

——**（生徒代表）わかりました。見るようにします！**

フランス略年表（本書に関連した項目を中心に作成）

1789 5月、三部会召集。
6月、国民議会成立。球戯場（テニスコート）の誓い。
7月、バスティーユ牢獄襲撃（フランス革命勃発）。
8月、「封建的特権」の廃止。「人権宣言」。

1791 6月、ヴァレンヌ逃亡事件。
9月、フランス初の憲法が制定される。
10月、立法議会成立。

1792 3月、ジロンド派内閣成立。
4月、オーストリアに宣戦布告。
8月、8月10日事件。
9月、ヴァルミーの戦いでフランス革命軍勝利。国民公会が召集され、王政が廃止、第一共和政が始まる。

1793 1月、ルイ16世処刑される。
2月、第1回対仏大同盟結成される。
6月、ジャコバン派ロベスピエールによる恐怖政治始まる。

1794 7月、テルミドール9日のクーデタ。

1795 10月、国民公会が解散し、総裁政府が成立。

1796 ナポレオン、イタリア遠征開始（～97年）。

1798 ナポレオン、エジプト遠征開始（～99年）。

1799 11月、クーデタにより総裁政府崩壊。ナポレオンによる統領政府が成立（フランス革命終結）。

1804 皇帝ナポレオン誕生。第一帝政始まる。

1806 ナポレオン、大陸封鎖令発布。

1813 ライプツィヒの戦いに敗れ、ナポレオン失脚へ。

1814 5月、王政が復活（ブルボン朝復活）。1815年のナポレオン百日天下を経て1830年まで）。
9月、ウイーン会議。

1830 七月王政（オルレアン朝）始まる。

1848 二月革命。第二共和政始まる（～52年）。ルイ・ナポレオン（のちのナポレオン3世）が大統領に選出される。

1852 ナポレオン3世による第二帝政開始（～70年）。

1855 パリで初めての万国博覧会が開催される。

1870 普仏戦争に敗北し、ナポレオン3世失脚。第三共和政始まる（～1940年）。

1871 パリ・コミューンが樹立されるも2か月で弾圧される。

1887 陸軍相だったブーランジェによる第三共和政転覆陰謀事件（ブーランジェ事件、～89年）。

1889 フランス革命100周年を記念したパリ万国博覧会（第4回）で、エッフェル塔披露。

1894 ユダヤ系士官ドレフュスがスパイ容疑で終身刑が下される（ドレフュス事件。1906年に無罪が確定）。

1898 アフリカ「縦断政策」のイギリスと「横断政策」のフランスがスーダンで衝突（ファショダ事件）。

1905 「教会と国家の分離に関する法律（政教分離法）」制定。

1914 第一次世界大戦勃発（〜18年）。
1919 パリ講和会議、ヴェルサイユ条約。
1936 フランス初の社会主義政権、ブルム内閣が発足。
1939 イギリスとともにドイツに宣戦布告。第二次世界大戦勃発（〜45年）。
1940 ドイツに降伏。パリが占領される。
ド・ゴールがロンドンに亡命政府「自由フランス」を結成。
本国ではヴィシー政権が成立。
1944 パリ、ドイツ軍から解放。
共和国臨時政府成立。首班にド・ゴールが就任。
1945 国際連合・安全保障理事会の常任理事国になる。
1946 10月、第四共和政始まる（〜58年）。
12月、第一次インドシナ戦争勃発。
1948 国連で「世界人権宣言」採択。
1949 北大西洋条約機構（NATO）結成。加盟国になる。
1952 欧州石炭鉄鋼共同体（ECSC）発足。
1954 5月、ディエンビエンフーの戦いでフランス軍が降伏。
8月、第一次インドシナ戦争終結。
11月、アルジェリアで独立戦争起こる（〜62年。アルジェリア独立）。
1955 ベトナム戦争（〜75年）。
1956 スエズ運河をめぐり、第二次中東戦争勃発（〜57年、英・仏・イスラエル軍完全撤退）。
1958 1月、欧州経済共同体（EEC）が発足。
10月、第五共和政が始まる（〜現在）。
1960 初の核実験がサハラ砂漠で行われる。

1966 NATOの統合軍事機構を脱退。
1967 欧州共同体（EC）発足。
1968 パリ五月革命。
1973 第四次中東戦争が勃発し、世界的オイルショックへ。
1976 移民帰国奨励政策始まる。
1989 パリ北部クレイユの中学校で「スカーフ事件」。
1993 マーストリヒト条約比准完了。欧州連合（EU）が発足。
1996 核実験終結宣言（1960年から210回核実験を実施）。
1999 EU単一通貨ユーロ導入（2002年より貨幣流通開始）。
2004 学校での宗教的標章の着用を禁ずる法律が成立。
2005 パリ郊外で北アフリカ系少年が警察の追跡から逃げる途中で感電死したことで、移民たちの暴動が起きる。
2009 NATOの統合軍事機構に復帰。
2010 公共の場での顔を覆う服装を禁止する法律が成立（ブルカ禁止法）。
2015 1月、シャルリー・エブド襲撃事件。
11月、パリ同時多発テロ事件発生。
2018 燃料税引き上げに対する反政権デモ（黄色いベスト運動）起こる。
2021 マクロン大統領、グラン・ゼコールのひとつである国立行政学院（ENA）の廃止を発表。
2023 年金制度改革案をめぐり、大規模なストライキと抗議デモが起こる。

＊参考文献・資料／池上彰『そうだったのか！ 現代史パート2』（集英社）、『詳説世界史』（山川出版社）、『20世紀年表』（毎日新聞社）、外務省HPほか

おわりに

本シリーズは、さまざまな中学や高校での授業をもとに制作されてきました。今回は、私立の暁星中学校・高等学校の生徒諸君、教職員の皆さんの協力で実現しました。暁星中学校・高等学校はフランスのカトリック・マリア会の宣教師によって創設されただけあって、フランス語教育に力を入れています。フランスについて授業をするには最適の学校と考え、学校にお願いして実現しました。

生徒諸君がフランスについてどんなイメージを持っているかは本文を読めばわかりますが、お洒落なイメージのフランスに対する見方が、今回の授業で変化したのではないでしょうか。

授業の中でおそらく生徒諸君が驚いたであろうことは、フランスの高校生が受ける「中等教育終了と高等教育入学資格試験（バカロレア）」で、哲学の試験があり、長時間をかけて解答を記述しなくてはならないことでしょう。読者のみなさんも問題文を見て、「こんな問題を解くのか」と驚いたのではないでしょうか。

実際には、みんながみんなちゃんと答えられるわけではないと聞くと、ちょっとほっとしますが、フランスの政財界の人たちは、みんな哲学をしっかり学んできたことがわかります。さて、そんな人たちを相手にして、我が国のトップの人たちは太刀打ちできるのでしょうか。

世界のさまざまな国について学ぶという、このシリーズは、結局は「では日本はどうなのだ」という自問に発展します。私たちは、フランスから何を学ぶべきか。あるいは、何を学んではいけないのか。そんなことを考えながら読む方法も提案します。

この本をつくるに当たっては、小学館の園田健也さんや岡本八重子さん、西之園あゆみさんにお世話になりました。

池上　彰

本書を刊行するにあたって、
暁星中学校・高等学校の
先生や生徒のみなさまにご協力いただきました。
厚く御礼申し上げます。
——編集部

池上彰の世界の見方
Akira Ikegami, How To See the World

フランス

うるわしの国の栄光と苦悩

2023年10月31日 初版第1刷発行

著者
池上 彰

発行者
下山明子

発行所
株式会社小学館
〒101-8001 東京都千代田区一ツ橋2-3-1
編集03-3230-5112 販売03-5281-3555

印刷所
TOPPAN株式会社

製本所
株式会社 若林製本工場

 ISBN978-4-09-389136-3

ブックデザイン・鈴木成一デザイン室
DTP・昭和ブライト／**地図製作**・株式会社平凡社地図出版
編集協力・西之園あゆみ／**校正**・玄冬書林
撮影・五十嵐美弥(本文)、岡本明洋(カバー、帯)
スタイリング(カバー写真)・興津靖江(FELUCA)／**制作**・斉藤陽子、
太田真由美、渡邉和喜／**販売**・金森 悠／**宣伝**・鈴木里彩／**編集**・園田健也

コロナ禍の前から、海外に目を向ける若者が減っている。でも、世界に目を向けてほしい。多様な価値観、生き方があることを知れば、きっと大きく成長できる――。これから飛躍したい、すべての人へ贈るメッセージ！

小学館 YouthBooks

『なぜ世界を知るべきなのか』

定価990円（10%税込）＊新書判

あなたの「なぜ?」に答える池上彰の人気作、好評発売中!

発行＊小学館

「台湾と韓国はどちらも日本の植民地だったのに、現在の対応が違うのはなぜ?」「アメリカは移民の国なのに、移民を排除しようとしたのはなぜ?」など、誰もが思う疑問について、池上彰がまんがで徹底解説！

『池上彰のまんがでわかる現代史』

◯東アジア　◯欧米

定価1540円（10%税込）
四六判（各巻とも）

←「東アジア」編